Les grands dossiers criminels du Canada

Jean-Claude Castex

Les grands dossiers criminels du Canada

du Canada

tome 1

Illustration de la couverture :
Nikolay Zurek
FPG/Masterfile

ÉDITION DU CLUB QUÉBEC LOISIRS INC.
© Avec l'autorisation des Éditions Pierre Tisseyre

Dépôt légal — 4ᵉ trimestre 1991
ISBN 2-89430-005-0
(publié précédemment sous ISBN 2-89051-402-1)

À Frédérique et à Monique,
pour leur aide précieuse.

Remerciements

L'auteur remercie tout particulièrement:

M. Guy Lacombe, directeur du centre Vital-Grandin (St. Albert, Alberta), et de la Western Canadian Publishers;

le R.P. Gaston Montmigny, archiviste en chef de la province Grandin des Oblats de Marie-Immaculée;

M. Gilles Gallichan, bibliothécaire et responsable du secteur des monographies, Bibliothèque nationale du Québec;

Mme Bouchard, archiviste en chef, *Photo police*, Montréal.

L'Affaire Coffin
ou
La Défense se repose

D'une beauté sauvage, la Gaspésie, située à l'embouchure du Saint-Laurent, a conservé toute sa faune et sa flore des temps anciens. Aussi est-elle envahie chaque année par une meute d'Américains, armés jusqu'aux dents, qui viennent y chasser l'ours noir et le dangereux grizzly canadien.

Or, en ce 23 juillet 1953, sous les peupliers trembles, les sapins baumiers, et parmi les paquerettes et les fleurs de pissenlits, dormaient trois hommes dans la brise légère: un adulte d'âge mûr et deux jeunes gens. Mais Barney Donahue, le braconnier qui les aperçut, ne fut pas du tout frappé par la beauté bucolique du paisible paysage, mais plutôt par l'horrible état dans lequel se trouvaient les trois cadavres. Car, après avoir été assassinés à coups de carabine de chasse de fort calibre, les corps avaient été atrocement mutilés par des ours en colère. De-ci de-là gisaient un tronc, un bras, un abdomen ou une jambe. Les ours semblaient s'être acharnés sur les trois hommes, dans une sorte d'horrible revanche de «chassés, heureux de détruire des chasseurs».

Au bord de l'évanouissement, Donahue courut jusqu'au chemin forestier où stationnait sa camionnette. Il se précipita au volant et se lança dans une course folle qui le conduisit au commissariat de police de la ville de Percé, à quelques kilomètres de là.

C'est ainsi que commença la célèbre Affaire Coffin, qui défraya la chronique journalistique des années 1950. C'est certainement l'une des plus connues des annales criminelles de la Belle Province, car les abolitionnistes de la peine de mort l'ont toujours considérée comme une grave erreur judiciaire.

À l'instar de l'affaire française du *Pullover Rouge*, un film a été tourné, afin d'éveiller l'opinion publique.

○

Le sergent qui commandait le commissariat de Gaspé prit aussitôt l'affaire en main. Les victimes furent rapidement identifiées comme trois chasseurs américains, originaires de Hollidaysburg (Pennsylvanie): Eugene Lindsey (47 ans), son fils Richard (17 ans) et l'ami de ce dernier, Frederick Claar (20 ans).

Leur disparition avait été signalée deux semaines auparavant par leur famille, car les chasseurs n'avaient pas donné signe de vie pendant la quinzaine précédente.

Les corps furent retrouvés dans un secteur forestier, «le Camp 23», fréquenté par une espèce d'homme des bois, Wilbert Coffin, un Anglophone qui vivait essentiellement de braconnage, bien qu'il eût coutume de se présenter comme prospecteur d'or. La police eut tôt fait de lancer un avis de recherche, afin de lui poser quelques questions précises... à tout hasard! Les enquêteurs apprirent très vite que le maraudeur venait de quitter sa forêt, dans le but de se rendre à Montréal, à 2500 km de là. Il voulait y rendre une petite visite de courtoisie à sa concubine, Marion Pétrie, et à son fils. L'homme était parti en camionnette.

Quelques semaines à peine après que l'avis de recherche eut été lancé à travers l'Amérique du Nord, notre homme fut localisé dans l'Abitibi, une région nordique proche de la Baie James, où abondent les mines d'or, d'argent et de cuivre: un véritable paradis pour un prospecteur qui peut toujours se faire reconnaître une concession minière, lorsqu'il a la bonne fortune de tomber sur un filon de valeur.

En août 1953, Coffin, au nom prédestiné[1], fut invité à revenir à Gaspé «afin d'y témoigner» dans l'affaire du triple meurtre. La police évita bien entendu de lui révéler qu'il était considéré comme le suspect numéro un, afin de ne pas lui donner l'idée de prendre la fuite.

L'Affaire Coffin devait mal se terminer. Elle aurait peut-être connu un épilogue bien différent si un élément nouveau n'était venu en perturber le déroulement normal. Jugeant que l'enquête piétinait, le Consul des États-Unis crut de son devoir d'exiger un peu plus de promptitude de la part de la Justice et du Gouvernement québécois. Il eut même l'indélicatesse de proposer l'intervention du FBI (la police fédérale américaine) ou de la Police Montée canadienne afin de trancher au plus vite ce nœud gordien.

Suggérer la participation d'autres polices ne pouvait qu'outrager la Sûreté du Québec, qui s'appelait alors la P.P.[2] Comme il fallait s'y attendre, ce geste fit l'effet d'un coup de pied dans une fourmilière. Le Premier Ministre du Québec, Maurice Duplessis, pria donc la P.P. de s'empresser de trouver un assassin.

Le capitaine Sirois, grand chef de la Police criminelle de la Province de Québec fut immédiatement

---

1. *Coffin* signifie cercueil en anglais et coffre en vieux français. En français moderne, il désigne l'étui d'une pierre à aiguiser.
2. Police Provinciale du Québec.

envoyé en Gaspésie avec mission de mener rondement l'enquête.

Les limiers, lancés dans tous les azimuts, revinrent rapidement avec une moisson d'informations des plus intéressantes. D'abord, le long de la route de près de 2500 km, entre la Gaspésie et Montréal, on retrouva 85 personnes qui se rappelaient avoir vu passer le suspect: garagistes, pompistes, coiffeurs, restaurateurs, employés de la Commission des Liqueurs[3]. Tout au long du chemin, Coffin avait dépensé sans compter de grosses sommes d'argent en coupures canadiennes et en devises américaines. Alors qu'il avait affirmé avoir quitté Gaspé avec 50 ou 60 $ — somme assez importante en 1953 — il avait dépensé trois fois plus en cours de route.

Or, la coquette somme de 650 $ américains avait disparu des poches des trois chasseurs assassinés.

— Il m'a donné un billet de 20 $ américains pour payer une facture de 10 $, déclara un garagiste, et il m'a dit de garder la «monnaie».

Bernard Castonguay, un commis d'épicerie de Montréal, déclara que, lors des dix jours que passa Coffin dans cette ville, l'accusé était venu au moins trois fois par jour à son épicerie pour y acheter des cigarettes et surtout de la bière:

— Il achetait au moins dix bouteilles par jour. Dès que je le voyais arriver, je me précipitais pour le servir. Un si bon client... Et en plus, il donnait de bons pourboires.

Tout au long de sa longue route, Coffin avait dilapidé des sommes considérables en bière, au

---

3. Les magazins étatisés de vins et spiritueux, aujourd'hui la Société des alcools,

point que le *Vancouver Sun* parlait ironiquement de *Beer Trail*[4].

Désormais, Wilbert Coffin ne fut plus considéré comme simple témoin du triple meurtre, mais comme le suspect n° 1. Le capitaine Sirois le fit incarcérer.

Alors que le braconnier niait obstinément avoir dérobé quoi que ce soit aux victimes, l'interrogatoire de sa concubine montréalaise apporta un élément des plus intéressants. Elle révéla que l'homme avait déposé chez elle différents objets que la police identifia comme volés dans la camionnette des chasseurs américains: des jumelles, une petite pompe à essence de moteur et un canif. Sommé de dévoiler l'origine de ces objets, Coffin expliqua que les chasseurs lui en avaient fait cadeau pour le remercier de leur avoir rendu service! Mais il semblait évident que l'accusé avait bel et bien dérobé tout cela aux victimes.

Finalement, après un interrogatoire plus approfondi, l'homme admit les avoir volés.

— ...Ou plutôt non, en fait je ne les ai pas volés, corrigea-t-il en substance, j'ai attendu ces gens deux heures et demie afin de me faire payer pour l'aide que je leur avais apportée. En désespoir de cause, voyant qu'ils ne revenaient pas, j'ai décidé de me payer et de partir. C'est pourquoi j'ai pris ces objets.

De là à penser qu'il était l'assassin, il n'y avait qu'un pas à franchir. Aussi, lorsqu'un policier de Moncton, une ville voisine, communiqua au commissariat de Gaspé un renseignement qui militait en faveur de Coffin, non seulement ce renseignement ne fut-il pas exploité, mais il fut totalement ignoré. On y déclarait qu'au moment du crime, une mystérieuse

---

4. La piste de la bière,

jeep jaune, immatriculée aux États-Unis, avait été aperçue dans les parages. Ce témoignage digne de foi confirmait une déclaration de Coffin lui-même, selon laquelle il avait aperçu, au moment-même du crime, une jeep de cette couleur conduite par deux Américains à l'aspect peu recommandable.

D'autres renseignements, fournis par le FBI, révélèrent qu'Eugene Lindsay avait tendance à faire du prêt usuraire dans sa bonne ville de Hollidaysburg. De ce fait, plus d'un Pennsylvanien aurait éprouvé une grande satisfaction à le foudroyer d'une décharge de 303.

Quoi qu'il en soit, la Police du Québec et les autorités judiciaires et politiques étaient si satisfaites de tenir un coupable, qu'elles ne se montraient pas très intéressées à s'encombrer d'un autre. Seul le commandant du commissariat de Gaspé n'était pas du tout convaincu de la culpabilité de Coffin. À son avis, c'était sans doute des Américains qui étaient venus perpétrer leur crime au Canada de façon à faire croire à un crime de rôdeur, et, ainsi, à éloigner les soupçons des vrais tueurs.

Lorsqu'on lui demanda où il cachait sa carabine, l'accusé affirma haut et fort qu'il n'avait pas d'armes. L'année précédente, la police lui avait confisqué sa carabine pour cause de braconnage. Bien sûr, les policiers n'en crurent pas un mot. Comment un braconnier vivrait-il dans la forêt boréale avec ses seules mains pour tuer des ours et des chevreuils?

La veille du jour où devait se tenir l'enquête préliminaire du Coroner, Coffin avoua enfin à un policier de Percé, — contre promesse d'être autorisé à voir son frère — qu'il possédait effectivement une carabine de chasse. Elle était dissimulée sous un gros arbre dans la forêt. L'étude balistique des projectiles aurait pu se révéler capitale dans ce cas. Or, assez curieusement, le respondable de l'enquête jugea préférable de ne pas faire rechercher l'arme. Croyait-il qu'elle innocenterait l'accusé et qu'il faudrait repartir à zéro pour découvrir un autre coupable? C'est ce que laissaient entendre les abolitionnistes de la peine de mort. Fait encore plus troublant, le Coroner refusa de faire témoigner l'accusé devant un jury qui devait décider s'il y avait, oui ou non, matière à un procès d'assises. Devant l'hésitation des jurés à inculper Coffin, le procureur général s'ingénia à les convaincre. Il insista sur le fait que, de toute façon, même si les jurés ne jugeaient pas opportun un procès d'assises à cause de l'insuffisance des preuves, le Procureur Général porterait lui-même ces accusations. Il en avait le droit de par ses fonctions.

À la grande satisfaction des autorités civiles, «l'enquête du Coroner» entraîna un verdict de culpabilité. «Notre verdict, déclara le président du jury, est de tenir Wilbert Coffin criminellement responsable de la mort d'Eugene Lindsay en raison des preuves et des pièces à conviction.» Les poursuites étaient circonscrites à l'un des trois meurtres pour faciliter l'élaboration de la preuve.

Dans la salle, les parents des victimes poussèrent un soupir de satisfaction lorsque la décision leur eut été traduite en anglo-américain.

○

En fait, aucune preuve solide ne semblait étayer la culpabilité de Coffin. Il avait dilapidé de l'argent américain? Oui, mais le nombre de touristes américains

qui envahissaient le Canada en été, banalisait con-
sidérablement la devise américaine. Les objets volés?
Ils n'étaient pas une preuve certaine du triple
meurtre. Un indice seulement. Quant au fait que la
police ne semblait pas pressée de rechercher la
carabine de Coffin, n'était-ce pas plutôt parce qu'il
était probable qu'elle innocenterait le braconnier?

Persuadé de la culpabilité de son client et certain
que la découverte de l'arme ne pourrait que l'incri-
miner, l'avocat de la défense commit une erreur
impardonnable: il alla l'extraire de sa cachette pour la
précipiter dans le Saint-Laurent. De ce fait, lorsque
les enquêteurs se décidèrent enfin à rechercher la
carabine, elle resta introuvable. L'avocat avait littéralement saboté la défense de son client. Et ce ne fut
pas sa seule erreur.

Le procès d'assises commença le 22 juillet 1954
à Percé. Noël Dorion et Paul Miquelon représentaient la Couronne. Le juge Gérard Lacroix présidait.
L'avocat de la défense avait retenu les services d'un
avocat-conseil, nommé Raymond Maher. Or, contrairement à l'avis de Maître Maher, l'avocat décida
d'utiliser une stratégie de défense assez peu ortho-
doxe: «*The Defence Rests*[5]», qui partait du principe
que l'accusé ne jugeait pas utile de présenter de
défense car la Couronne n'avait pas de preuves
sérieuses de culpabilité. C'était une sorte de suprême dédain, de mépris hautain. De ce fait, l'avocat
déclara simplement au début du procès:

— Votre Seigneurie, Messieurs les Jurés, distin-
gués collègues, *the Defence Rests*!

Puis il attendit la fin du procès, la plaidoirie, pour
déclarer que le parquet n'avait pas réussi à prouver

---

5. La défense se repose.

qu'il y avait vraiment eu un vol, mais que cela avait plutôt été déduit. Par conséquent, la responsabilité de Coffin était plus que douteuse.

L'avocat-conseil, Maître Maher, essaya de s'opposer à une défense aussi suicidaire. Il jugeait que, en droit, c'était à Coffin de s'expliquer, sous peine de laisser entendre qu'il se dérobait parce qu'il était effectivement coupable. De plus, voir parler Coffin aurait fait une excellente impression sur les jurés, qui devaient décider de sa vie ou de sa mort. Car cet homme, d'un caractère extrêmement flegmatique, mais qui respirait la sincérité, ne pouvait manquer de convaincre les jurés de son innocence.

L'Accusation s'arrangea aussi pour ne pas faire intervenir ou parler Coffin. Cela aurait dû convaincre l'avocat de la défense de la nécessité de faire éclater la sincérité de son client devant les jurés. Malheureusement, l'avocat demeura inflexible et garda un silence têtu jusqu'à la plaidoirie finale. Coffin resta donc parfaitement silencieux, comme étranger, devant ces gens qui discutaient de l'opportunité de l'envoyer au gibet. Et il est vrai que l'on ne pouvait s'empêcher de penser: «Il me semble que si on m'accusait de meurtre, je me défendrais, je crierais mon innocence. Coffin doit être coupable... À n'en pas douter.»

Le jour du verdict arriva. Dans la salle des délibérations, les jurés se mirent tous d'accord, car la décision doit être unanime. N'ayant été soumis qu'à des arguments de culpabilité, le «doute raisonnable» fit pencher la Balance de la Justice du côté de la responsabilité, et la décision ne se fit pas attendre:

«COUPABLE!»

Le Procureur de la Couronne prit alors la parole:

— Votre Seigneurie, je n'ai pas d'autre choix que de demander la peine de mort !

Coffin regardait tour à tour chacun de ces acteurs qui s'agitaient pour l'envoyer à la potence. Avait-il vraiment réalisé que son destin était en train de se jouer et que, sous les traits du juge vertueux, Atropos, l'inflexible Parque, allait inexorablement couper le fil fragile de son existence? Dans la salle, des sanglots se firent entendre. C'était sa «femme», Marion Pétrie. Coffin lui jeta des regards désolés. Il semblait navré de lui infliger ce chagrin et d'être la cause involontaire de ses larmes.

— Wilbert Coffin, avez-vous quelque chose à dire avant la sentence? lança le juge dans un silence glacial à peine troublé par quelques sanglots.

Pas de réponse.

— Wilbert Coffin, le procès qui vient de se terminer a duré de nombreuses journées, et j'ai clairement l'impression, le sentiment et la certitude que tout a été mis en œuvre pour que vous ayez un procès juste et honnête, déclara le juge comme pour convaincre l'assistance autant que lui-même. Vos avocats ont mis leurs talents à votre défense. Ils y ont mis tout leur cœur et toute leur âme, récita-t-il en fixant vaguement la masse confuse des assistants. Après avoir pris connaissance des preuves, le jury vient de rendre un verdict de culpabilité. Je n'ai pas le choix, la loi m'oblige à prononcer la sentence suivante:

«Wilbert Coffin, vous serez emprisonné à l'endroit choisi par les autorités de cette province jusqu'au 26 novembre 1954, date à laquelle vous serez conduit à la potence et pendu jusqu'à ce que mort s'ensuive. Que Dieu ait pitié de vous!»

Ainsi donc, le juge non plus n'avait pas le choix. Tout comme le Procureur de la Couronne. Tout le monde se voilait pudiquement la face devant la décision des neuf jurés.

Le Procureur de la Couronne rompit alors le silence de mort pour féliciter le jury de son verdict courageux. C'était la tradition dans les cas de peine de mort. On voulait exorciser les remords grimaçants qui allaient hanter les nuits des jurés.

Toujours aussi placide, Wilbert Coffin fut enfermé dans la cellule des condamnés à mort de la Prison civile de Québec.

○

Le 12 novembre au soir, deux semaines avant son exécution, Coffin appela ses gardiens depuis la porte à barreaux de sa cellule:

— Gardes! Gardes! Venez! Venez vite!

— Qu'est-ce qu'il y a? lança un gardien.

— Je suis malade.

Le gardien appela un collègue, et tous deux vinrent déverrouiller la lourde porte d'acier. Mais, à peine la grille eut-elle grincé sur ses gonds, que Coffin tira de sa poche un pistolet dont il dirigea le canon menaçant vers les deux gardes médusés:

— Les mains en l'air!

— Tabernacle! blasphémèrent à l'unisson les deux hommes.

— Vos gueules! Avancez devant moi.

Et c'est ainsi que, en tenant les gardiens en respect au bout d'un pistolet, le condamné à mort réussit à se faire ouvrir toutes les portes et à s'évader de la Prison civile de Québec. Coffin avait patiemment confectionné cette «arme» la semaine précédente avec deux morceaux de savon, collés, sculptés, puis noircis au cirage.

Arrivé dans la rue, le fugitif se mit à courir à perdre haleine après avoir glissé dans sa poche le morceau de savon qui avait légèrement déteint sur ses doigts moites. Lorsqu'il déboucha dans une rue passante située à quelque distance de la prison, il se força à marcher à une allure raisonnable qui ne risquait pas de le faire repérer. Puis il héla un taxi dans lequel il s'engouffra:

— Conduisez-moi au Pont de Québec.

Un moment après, le taxi s'arrêta devant l'immense pont, qui reste, depuis sa construction en 1917, le plus grand pont cantilever au monde. Le chauffeur, un jeune homme, se retourna vers l'évadé qui ne bougeait pas plus qu'une statue de sel:

— Voilà! Vous êtes arrivé. Vous me devez...

— J'ai pas d'argent! coupa calmement Coffin. J'ai pas d'argent mais je peux vous offrir des cigarettes...

— Comment ça, pas d'argent? Pourquoi prenez-vous un taxi si vous n'avez pas d'argent? lança le chauffeur excédé qui voyait déjà poindre les embêtements.

— Vous ne me connaissez pas? Je viens de m'évader de prison. Je m'appelle Coffin, ajouta alors le fugitif d'une voix où ne perçait aucune agitation.

Le chauffeur se retourna d'un bloc afin de mieux dévisager l'individu. Comme il se refusait encore à croire qu'il était en présence de Coffin, ce dernier lui montra les grosses clés de la prison qu'il avait conservées dans sa poche.

Les deux hommes discutèrent longuement sur l'évasion et sur le meurtre des trois Américains:

— C'est vrai que j'ai volé les Américains, confia le condamné à mort. Je leur ai volé les jumelles et plusieurs objets. Mais l'argent, c'était MON argent. Si j'étais un criminel, il ne me resterait qu'à te descendre et à prendre ton taxi!

— Et qu'est-ce que tu vas faire maintenant? demanda aussitôt le chauffeur de taxi, désireux de changer de conversation, mais déjà plein de sympathie pour cet homme qui paraissait si sincère.

C'était cette sincérité communicative et si puissante chez cet être, que l'avocat de la défense n'avait pas su utiliser.

— Je ne sais pas ce que je vais faire. Je vais me cacher dans les bois.

— Tu es fou. Tu vas crever de faim et de froid. Tu vas te faire tirer dessus comme un lapin.

Puis, après une pause:

— Saute plutôt sur un train de marchandises pour aller à Vancouver ou à Halifax. Est-ce que tu connais des gens à Québec?

— Mon avocat seulement.

— Comment s'appelle-t-il? On peut aller lui demander conseil.

Coffin donna le nom de son avocat en précisant que l'avocat-conseil, Raymond Maher, était malheureusement absent de Québec jusqu'à nouvel ordre. Cette absence scellait son sort. Le chauffeur de taxi demanda à la radio quelle était l'adresse de l'avocat. Un moment après, il garait sa voiture à quelques mètres du domicile de l'homme de loi.

— Reste caché dans la voiture; je vais sonner.

Lorsque l'avocat, plein de stupéfaction, se rendit compte que son client s'était évadé, il commença à le réprimander:

— Qu'est-ce qui t'a pris? Ça ne va pas, non? Il faut que tu retournes de suite en prison....

— Mais, je vais être pendu dans quinze jours, répliqua calmement Coffin.

À ce moment, la radio annonça l'évasion du condamné à mort et donna un signalement précis: «...l'évadé est armé et considéré comme très dangereux...

— Retourne en prison.

— Mais la Cour Suprême du Canada vient de rejeter mon appel. C'est fini, je vais être exécuté.

— Si tu veux prouver ton innocence, il faut que tu retournes en prison. Un coupable ne retournerait jamais en prison, s'écria alors fort judicieusement l'avocat.

Fort judicieusement, peut-être! Mais le retour en prison constituait cependant un coup de roulette russe qui aurait dû rendre l'avocat prudent. Il se serait sans aucun doute comporté avec plus de circonspection s'il s'était agi de sa propre exécution capitale.

— Vous en êtes sûr?

— Absolument!

— O.K.! je veux bien que vous me rameniez en prison, décida alors Coffin.

Et, ce faisant, il signait lui-même son arrêt de mort, car, avec les bourreaux, il vaut mieux négocier de loin.

○

Le 9 février 1956, le ministre de la Justice, l'Honorable Stuart Garson, annonça que le Gouvernement avait rejeté la demande de commutation de sa condamnation à mort en réclusion à perpétuité. Le même jour, pour ajouter son coup de lance, le Premier ministre du Québec, l'Honorable Maurice Duplessis, qui cumulait à ce titre les fonctions de ministre de la Justice de la Province, refusa à Coffin l'autorisation d'épouser sa concubine Marion Pétrie, afin de donner son nom à son fils Jacques (8 ans) et de le légitimer.

En annonçant le rejet de la grâce gouvernementale, le ministre de la Justice précisa que l'exécution aurait lieu immédiatement, c'est à dire le soir-même à minuit trente.

Le dernier après-midi du condamné à mort se passa dans le calme. Est-il besoin de le préciser? Dans la soirée, il commanda un ultime repas, des œufs au jambon.

Vers 22 heures, Coffin tomba dans le silence le plus complet. Il lui restait un peu plus de deux heures à vivre. À minuit, le chapelain anglican, S.L. Pollard, célébra une brève cérémonie religieuse devant la porte de la cellule. Le condamné communia sous les deux espèces à travers les barreaux d'acier.

Après la cérémonie, Coffin s'assit à sa table de travail afin de mettre sur papier ses dernières volontés:

Je, soussigné Wilbert Coffin, souhaite par la présente rédiger mes dernières volontés et mon testament. Je prie Dieu de recevoir mon âme et de m'accueillir en son Ciel. Tout mon amour à ma femme, Marion, du fond de mon cœur; je regrette beaucoup que le Gouverne-

ment ne m'ait pas permis de l'épouser. Tout mon amour à mon fils que j'aime plus que moi-même. Je lui souhaite la meilleure chance au monde. J'aimerais que le public sache que depuis mon arrestation je n'ai pas été traité avec justice. Je suis innocent de la mort des trois chasseurs américains. Je voudrais dire à leur famille que je n'ai rien à voir avec leur mort. J'espère beaucoup que mon fils aura une vie heureuse et pleine de réussite. Aidez-moi, mon Dieu! Je lègue tout ce que j'ai à mon cher fils Jacques et je signe,

Wilbert Coffin.

Coffin venait de signer son testament, vers minuit vingt-cinq, lorsque le garde et le prêtre apparurent devant les barreaux de la porte:

— C'est l'heure, Bill. Il faut y aller, dit doucement le garde tout ému.

— Oui, je sais. Révérend, voici mon testament.

La cellule fut ouverte. Coffin passa les mains dans les menottes cliquetantes.

«Notre Père, qui êtes aux Cieux», commença le chapelain, tandis que le groupe de gardes se mettait en marche. Les portes s'ouvraient les unes après les autres. Les deux gardiens et le chapelain passaient, puis les portes se refermaient en claquant lugubrement dans le silence.

«Que votre volonté soit faite,
«sur la terre comme au Ciel»

Les gardiens qui précédaient continuaient d'ouvrir. Celui qui suivait, refermait.

«Pardonnez-nous nos offenses
«Comme nous pardonnons
«À ceux qui nous ont offensés...

Dans la petite cour de la prison de Bordeaux, à Montréal, où le condamné avait été transféré, quelques hommes attendaient en silence, frissonnant dans la sinistre nuit d'hiver. Coffin, menotté et encadré par ses deux solides gardes en chemise et en cravate, apparut sur le balcon-échafaud du premier étage. Le bourreau avait, peu auparavant, nettoyé la neige et donné un coup de «bon fonctionnement» de la trappe avec un sac de sable.

Avant que le bourreau ne lui passe la cagoule sur la tête, afin de dissimuler aux assistants les horribles grimaces de l'agonie, Coffin serra la main des deux gardiens. Depuis son arrivée au pénitencier de Bordeaux, ces hommes avaient montré une immense sympathie pour ce condamné qui allait mourir. Il ne leur dit rien, mais les deux gardiens n'oublièrent jamais son regard.

Le bourreau lui couvrit la tête. Quelques secondes après, au milieu d'un craquement lugubre de la trappe et des vertèbres cervicales, Wilbert Coffin, 43 ans, braconnier, prospecteur de mines d'or, vagabond, homme de toutes les occasions, plongea dans l'intemporel. Son corps dansa un moment au bout de la corde, au dessus des escaliers du rez-de-chaussée, puis, après quelques convulsions, finit par reprendre le calme qui l'avait toujours si bien caractérisé.

Coffin mourut courageusement. Jusqu'au bout il affirma son innocence, mais seuls les abolitionnistes canadiens de la peine de mort acceptèrent de le croire.

Trente-trois ans après sa mort, durant l'été de l'année 1988, un Torontois sans doute hanté par les remords se livra à la police pour s'accuser publiquement d'être l'auteur du triple meurtre que Coffin avait payé de sa vie.

La police l'interrogea longuement, puis le relâcha en déclarant qu'il n'était pas l'assassin et qu'il s'accusait pour des raisons... inconnues.

Il est à se demander si ce n'est pas la police qui hésite à déterrer une affaire trop scabreuse?

L'assassin est dans l'hôpital

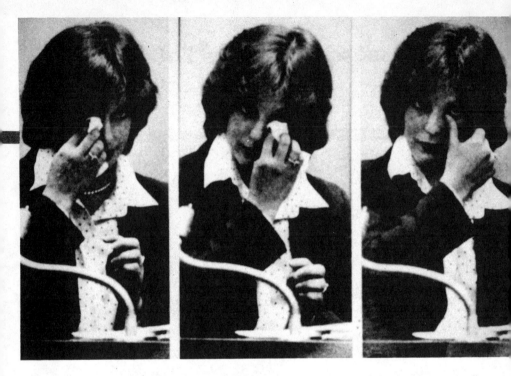

Toronto, le 5 avril 1984 - Susan Nelles pleure en rappelant le moment où elle a accompagné Bradley Cook à la morgue pour reconnaître son fils Justin assassiné.

Une horrible affaire a défrayé la chronique judiciaire du début des années 1980. Toronto venait depuis peu de ravir à Montréal le titre envié de «Métropole du Canada». Or, dans l'un des plus importants hôpitaux de cette ville ontarienne, l'Hôpital des Enfants malades, se passaient, en ce milieu de l'année 1980, de bien étranges agissements que nous allons rapporter ici.

Au bloc des Surveillances cardiaques, une nouvelle équipe, dirigée par l'infirmière-chef Phyllis Trayner, venait de prendre la permanence des services de nuit. Or, à partir de ce moment, le taux de mortalité des enfants cardiaques connut un accroissement vertigineux. Personne, bien entendu, ne pouvait imaginer qu'une des infirmières ait nourri des tendances au meurtre, et les docteurs attribuèrent ces décès à toutes sortes de causes plus scientifiques les unes que les autres.

De temps en temps, une infirmière de l'équipe de nuit 4A, qui commençait son service chaque soir à 19 heures, se dirigeait vers l'une des chambres où pleurait un bébé. Dans la pénombre, elle le prenait dans ses bras, le berçait et l'embrassait doucement jusqu'à ce qu'il se fût calmé. Puis, après avoir vérifié que personne ne s'approchait de la porte, elle déposait l'enfant dans son berceau de plastique transparent, tirait de sa poche une seringue hypodermique pleine de digoxine, et, d'un geste rapide et précis de professionnelle, plantait la longue aiguille dans le bras potelé du bébé. Alors que l'enfant poussait quelques légers vagissements, elle lui caressait la tête un instant du bout des doigts; puis elle quittait la chambre d'un air dégagé pour rejoindre le groupe d'infirmières qui vaquaient à leurs occupations habituelles.

Après quelques minutes de calme, le rythme respiratoire du bébé s'affaiblissait. Ses narines se pinçaient comme si l'oxygène manquait. Bientôt le pouls du petit être divaguait en bonds erratiques, tantôt rapides, tantôt lents, pour finir par s'arrêter. Les tressaillements imperceptibles disparaissaient alors complètement. L'enfant avait cessé de vivre. Le lendemain matin, les services de la morgue venaient prendre livraison du petit cadavre.

L'augmentation du taux de mortalité des bébés cardiaques finit tout de même par jeter l'alarme dans les équipes d'infirmières, de même qu'au sein de la direction de l'établissement. Une enquête discrète s'ensuivit.

La plupart des décès suspects s'étaient produits entre minuit et six heures du matin, c'est à dire durant la permanence de l'équipe 4A. D'autre part, les analyses des dépouilles mettaient toutes en évidence d'énormes taux de digoxine, une drogue de la famille de la digitaline qui augmente la force de contraction du muscle cardiaque mais en ralentit le rythme. Injectée en quantité anormale, cette drogue provoque la mort. Habituellement prescrite pour traiter certains bébés souffrant de malformation entraînant une insuffisance cardiaque, elle n'en restait pas moins fort dangereuse. Elle fut retrouvée dans le sang et dans les tissus d'enfants pour lesquels les docteurs ne l'avaient pas ordonnée.

Les autorités médicales de l'hôpital, soucieuses du renom de leur établissement, réussirent pourtant à étouffer le scandale qui ne devint public qu'au bout de six longs mois. De la fin du mois de juin 1980, date à laquelle le directeur fut avisé qu'une main criminelle perpétrait ces meurtres en série, jusqu'à ce que l'affaire éclatât dans la presse, au mois de mars suivant, vingt bébés furent considérés comme des victimes de la mystérieuse infirmière de l'équipe 4A.

Après quelques hésitations, le directeur de l'hôpital fit appel, en juin 1980, à une équipe d'enquêteurs du Centre pour le Contrôle des maladies d'Atlanta. Une enquête privée risquait moins d'ébruiter le scandale qu'une série d'investigations policières.

En neuf mois, l'équipe médicale d'Atlanta passa au crible tout le quatrième étage de l'Hôpital des Enfants malades, c'est à dire le Service de cardiologie. Une minutieuse enquête tenta de mettre à jour tout ce qui pouvait éclairer l'énigme, quels enfants avaient succombé de façon suspecte et quelles infirmières avaient pris leur service les jours où un enfant avait été assassiné. Ils écartèrent résolument les cas douteux pour ne garder que les crimes évidents.

Pendant l'enquête, la meurtrière continua imperturbablement de tuer, comme poussée par un besoin irrésistible. Du 22 juillet au 19 août 1980, six enfants furent ainsi considérés comme assassinés. Du 15 novembre 1980 au 11 janvier 1981, sept crimes indiscutables vinrent s'ajouter à la liste déjà trop longue et, du 7 au 22 mars 1981, comme si la criminelle se hâtait d'exécuter ses forfaits avant son arrestation, elle tua neuf enfants. En deux semaines seulement! Tous assassinés par injection intraveineuse de digoxine. Les dates de ces neuf derniers crimes et la plupart des autres correspondaient exactement aux permanences de nuit de l'équipe 4A.

Ainsi, pour éviter par dessus tout un scandale, on laissa la tueuse *«assassiner à un rythme fantastique»*, selon l'expression de Me McGee, un des avocats qui participa activement au procès. Un an complet s'écoula avant que la police n'intervienne. Au contraire, tout fut mis en œuvre pour couvrir les méfaits de l'infirmière démoniaque. Les autopsies des enfants ne furent pas effectuées systématiquement. Des preuves furent détruites, des évidences écartées, des enfants enterrés sans que leur sang ne fût testé. Certains furent même incinérés, comme si l'on avait voulu laisser planer un flou protecteur: «Il ne fait pas l'ombre d'un doute que le meurtrier lui-même a aidé à détruire les preuves. Par exemple, le corps du bébé Justin Cook fut enlevé de la chambre. Tout fut nettoyé et chacun rentra chez soi...» Le bébé Cook fut tué «vraiment sous le nez de la police et des enquêteurs.»

Stéphanie Lombardo, âgée de dix jours à peine, venait d'être opérée. Une dérivation (*shunt* cardiaque) avait été placée avec succès par une équipe chirurgicale l'avant veille de Noël 1980. L'enfant, dont l'état général était excellent, fut placée dans une chambre du Service de cardiologie. Quelques heures après l'arrivée en fonction de l'équipe 4A, dirigée par l'infirmière-chef Phyllis Trayner, Stéphanie montra soudain les symptômes caractéristiques des enfants auxquels l'assassin avait injecté la dose intraveineuse mortelle de digoxine. En quelques minutes elle expirait en dépit des tentatives désespérées de réanimation destinées à lui faire retrouver le souffle.

Fred Shanahan, l'un des avocats qui firent enquête lorsque l'affaire devint publique, fit remarquer que Stéphanie Lombardo était morte durant la période de Noël 1980, alors qu'une partie seulement de l'équipe 4A assurait le service de nuit, soit: l'infirmière-chef Phyllis Trayner, Marianne Christie, Janet Brownless et Susan Nelles. Cela permit à la police de Toronto de resserrer le filet.

En mars 1981 enfin, les enquêteurs d'Atlanta désignèrent de façon certaine l'équipe 4A comme la cause des crimes. Le scandale fit enfin la manchette de tous les journaux canadiens et l'équipe 4A fut suspendue en bloc jusqu'à la conclusion de l'enquête judiciaire qui allait suivre. Jusque-là, environ 42 cas de décès semblaient suspects ou concluants sur les 142 morts par arrêt cardiaque pris en considération.

Le syndicat des infirmières de l'hôpital prétendit aussitôt que ces décès devaient plutôt être attribués à plusieurs causes, comme par exemple des erreurs de médicaments, un manque de personnel ou, dans certains cas, des médicaments accidentellement contaminés.

Les médecins enquêteurs concluaient pour leur part: «La cause de cette hécatombe mit neuf mois à être mise en lumière au début, parce que l'assassin possédait assez de connaissances médicales pour choisir les victimes dont la mort ne serait pas de prime abord considérée comme suspecte.»

Pourtant, étant donné les dangers de poursuites judiciaires pour dommages et intérêts en cas d'erreur, les enquêteurs d'Atlanta se gardèrent bien de désigner nommément la coupable.

Phyllis Trayner, l'infirmière-chef de l'équipe 4A avait été de service lors de 28 crimes ou cas suspects. Les permanences de l'infirmière Susan Nelles correspondaient à 21 crimes ou décès hautement suspects. Parmi les deux autres infirmières de l'équipe 4A, Sue (Suzanne) Scott totalisait 20 services correspondant à des crimes, et Marianne Christie 18.

L'enquête policière commença le 22 mars 1981. La police, après étude de l'affaire, suspecta sérieusement deux membres de l'équipe 4A: l'infirmière-chef Phyllis Trayner et l'infirmière Susan Nelles.

Le 25 mars, Susan Nelles fut arrêtée pour la mort de quatre bébés, Justin Cook, assassiné durant la nuit du 22 mars, Allana Miller, morte durant la nuit précédente, Kevin Pacsai, assassiné le 10 mars et Janice Estrella, décédée en janvier. L'infirmière Nelles se trouvait en service les nuits des assassinats de Kevin, d'Allana et de Justin. Janice posait un problème car elle mourut plusieurs heures après le départ de l'équipe 4A. Interrogeant le docteur Robert Freedom, cardiologue, le sergent Warr apprit qu'une surdose de digoxine pouvait agir lentement dans l'organisme d'un bébé et ne provoquer des réactions que longtemps après l'injection intraveineuse. De telle sorte que Mlle Nelles pouvait fort bien avoir administré la piqûre à la toute fin de son service, plusieurs heures avant que le bébé ne présente les premiers symptômes.

De plus, interrogée par les sergents Press et Warr de la Police municipale de Toronto, l'infirmière Nelles répondit de façon bizarre à certaines questions: «Je ne veux pas répondre à cette question en ce moment», répétait-elle souvent. Interrogée enfin sur Janice Estrella, l'infirmière répliqua seulement: «Non, je ne veux plus répondre à aucune de vos questions.»

Selon le témoignage des autres infirmières, Mlle Nelles était restée isolée au moins une heure avec le bébé Justin Cook, peu avant qu'il ne présente les symptômes caractéristiques de l'agonie. La police décida donc de procéder à son arrestation, pensant que, si elle était l'auteur de ce crime, il y avait de fortes présomptions pour qu'elle ait aussi commis les autres.

En fait, même si la Police métropolitaine de Toronto suspectait autant les deux infirmières, Susan Nelles et Phyllis Trayner, cette dernière se défendit avec beaucoup d'ardeur, tandis que Susan refusa de «proclamer son innocence», selon l'expression même de la police.

Le 25 mars 1981, elle seule fut donc inculpée du meurtre des quatre enfants qui avaient servi à échafauder sa culpabilité. Ce furent les sergents Press et Warr de la Brigade des homicides de Toronto qui procédèrent à son arrestation.

Plus tard, Susan Nelles tenta d'expliquer pourquoi, lors de cette arrestation, elle n'avait même pas essayé de crier son innocence et s'était laissée arrêter sans le moindre mot:

— Je pensais qu'on m'avait conseillé de ne rien dire sans la présence de mon avocat...

O

Un an plus tard, en mai 1982, Susan Nelles bénéficia d'un non-lieu à la fin des auditions préliminaires, après 44 jours d'instruction. Le juge prit cette décision pour «insuffisance de preuves».

En juillet 1983, au terme d'une longue contre-attaque judiciaire, Susan Nelles fut autorisée à reprendre son travail à l'Hôpital des Enfants malades de Toronto, qui dut se plier sans enthousiasme à cette décision. Toutefois, afin de ne pas jeter la panique au sein de la population peu soucieuse de l'opinion d'un juge, Susan se vit confier un travail de laboratoire qui la tenait loin des patients.

C'est en septembre 1983, que commencèrent les longs travaux — 144 jours exactement — de la Commission Royale d'Enquête sur le cas de l'infirmière Nelles et sur les mystérieux assassinats d'enfants. Le juge en chef, Samuel Grange, de la Cour Suprême de l'Ontario, présidait cette Commission.

Vingt témoins furent appelés à la barre par toutes les parties. La police et l'avocat-général Troy McMurtry qui avait inculpé Susan Nelles furent mis, de facto, en accusation. Ils se défendirent avec force devant les attaques de cette infirmière et de ses avocats. Le défenseur de la Police métropolitaine de Toronto, Me Barry Percival, appela à la barre des témoins le docteur Rodney Fowler. Celui-ci raconta avoir constaté le 22 mars 1981 que Susan Nelles, qui s'était occupée du bébé de trois mois Justin Cook, n'avait montré aucune espèce de tristesse lorsqu'il était mort assassiné, alors que les autres infirmières pleuraient:

— Mlle Nelles présentait un visage plutôt inhabituel en ce sens qu'elle ne montrait aucun signe d'émotion, affirma le docteur. Elle n'affichait pas les réactions que montrent habituellement les gens en de telles circonstances.

— Le docteur Fowler n'était certainement pas en situation de juger des réactions de Mlle Nelles à la mort du bébé Cook, parce qu'il ne savait presque rien sur elle, répondit Me Brown, avocat de l'infirmière Nelles.

On demanda à Mlle Nelles comment elle expliquait que, la semaine du meurtre du bébé Justin Cook, le

22 mars 1981, quelques jours avant son arrestation, alors qu'il venait d'y avoir six décès de bébés en sept jours, elle avait pu lancer à la cantonade:

— Six sur sept; c'est pas mal!

— J'étais bouleversée quand les bébés mouraient, mais j'étais épuisée et je redoutais d'aller travailler avec l'équipe de nuit qui avait sur le dos tous ces décès d'enfants!

Lorsque des infirmières et des docteurs affirmèrent qu'elle ne montrait aucune émotion lorsque les bébés mouraient assassinés, elle répondit:

— J'étais bouleversée, mais je ne pleurais pas autant que certaines de mes collègues. Je ne pense pas que je pourrais tenir mon rôle d'infirmière de garde si je pleurais... D'une certaine façon, ce serait perdre le contrôle de la situation. Quand les enfants mouraient, c'était très dur; mais, en tant qu'infirmière, je devais faire face à mon travail. Je devais continuer de m'occuper des autres enfants.

Et les appels téléphoniques anonymes remplis de haine que recevaient les autres infirmières de son équipe lorsque Mlle Nelles fut inculpée par le juge d'instruction? Cette dernière nia catégoriquement en être l'auteur.

Alors qu'on lui demandait comment elle expliquait que les assassinats avaient brusquement cessé lors de son arrestation, en mars 1981, elle reconnut s'être demandé si quelqu'un n'essayait pas de lui faire porter la responsabilité de tous les crimes perpétrés à l'hôpital.

Au fur et à mesure que les 144 jours de l'enquête s'écoulaient, un fait devenait clair: Susan Nelles et son avocat réussissaient à retourner la situation. Très vite, ce furent la Police de Toronto et l'Avocat général qui siégèrent au banc des accusés.

Susan Nelles leur réclamait la coquette fortune de 850 000 $ en dommages et intérêts!

O

En 1984, la Cour Suprême de l'Ontario décida que seule la Police de Toronto pouvait faire l'objet de poursuites judiciaires. L'Avocat général devait rester à l'abri de ce danger sous peine de mettre en péril la liberté des Parquets de poursuivre lorsqu'ils le jugeraient utile. Indomptable, Susan Nelles s'adressa en 1986 à la Cour Suprême du Canada.

Mais le père de l'infirmière ne vit jamais l'éclatante victoire de sa fille. Il était mort au cours de l'été 1982, usé par les événements et terrassé par une violente crise cardiaque.

O

Le 29 décembre 1984, Susan, alors âgée de 28 ans, épousa Jim Pine, 30 ans, Conseiller de la Police de Toronto, qui s'était occupé du dossier depuis le début.

Pour accepter de prendre pour mère de ses futurs enfants une femme qui était soupçonnée du meurtre de 42 bébés, il faut croire que l'insuffisance des preuves était réelle.

O

Mais, au fait, ... l'infirmière maniaque? Que devient-elle?

Elle va sans doute très bien. Merci! Elle travaille toujours à l'Hôpital des Enfants malades de Toronto. Et si ce n'est pas Susan Nelles, la vraie tueuse doit toujours s'occuper des bébés cardiaques, pour les consoler maternellement lorsqu'ils ont du chagrin!

Photo : Presse canadienne

Toronto, le 21 mai 1982 - L'infirmière Nelles vient d'être déclarée non coupable pour insuffisances de preuve pour l'assassinat de quatre enfants. Elle est accompagnée par son avocat Austin Cooper.

La malédiction du
commandant Kendall

Le docteur Crippen

Déguisée en jeune garçon, Ethel LeNeve essayait de se faire passer pour le fils de son amant, le docteur Crippen.

À la fin du mois de juillet de l'année 1910, le *Montrose*, prestigieux transatlantique de la flotte du Canadien-Pacifique, remontait lentement les eaux miroitantes du

> «*Vaste Saint-Laurent à l'onde féerique,*
> *Glissant majestueux, du cœur de l'Amérique.*»

À bord, les passagers paraissaient fort heureux de retourner au Canada, la mère patrie de la plupart d'entre eux.

Après avoir traversé le détroit de Belle-Isle, le navire, qui battait pavillon canadien, avait pénétré dans les eaux vert pâle de l'immense golfe pour mettre le cap sur Rimouski.

Henry George Kendall, 35 ans, l'un des plus jeunes commandants de la marine canadienne, sentait monter en lui une vague de surexcitation qui envahissait, petit à petit, la totalité de son corps et de son esprit. Il discutait depuis 15 ou 20 minutes avec deux passagers, et il était maintenant totalement convaincu d'avoir sous les yeux les assassins de Mme Crippen: le docteur Hawley Harvey Crippen et sa maîtresse, Mlle Le Neve, déguisée en jeune garçon.

Après avoir poliment pris congé du couple, il se dirigea d'un pas rapide vers la cabine de télégraphie sans fil, et fit envoyer ce message qui fut immédiatement capté par la station canadienne de Belle-Isle (Québec):

«Je suis sûr maintenant d'avoir Crippen et Le Neve à mon bord. Crippen a rasé sa moustache et se laisse pousser la barbe. Il ne se doute pas du tout qu'il a été démasqué. Les passagers ignorent aussi l'identité du couple. Mlle Le Neve évite de parler. Ils n'ont pas de bagages. Ils sont toujours ensemble et évitent les autres passagers.

«Crippen m'a déclaré qu'il est un grand voyageur et qu'il a visité de nombreuses fois les États-Unis. Ils passent la plus grande partie de leur temps à lire des livres de la bibliothèque de mon navire. Ils dorment peu la nuit. Nous avons eu le premier indice de leur identité deux heures après avoir quitté Anvers. Crippen disait qu'il amenait son «garçon» en Californie pour des raisons de santé. Ils ont passé la majeure partie du temps dans leur cabine. Tous deux paraissent brillants lorsqu'ils sont au milieu de leurs semblables, mais ils montrent des visages soucieux quand ils sont seuls. Crippen est enregistré comme commerçant et Le Neve comme collégien. Ceci est le premier compte rendu journalistique transmis depuis ce navire.»

Signé: «KENDALL, Commandant.»

○

En fait le monde entier savait déjà que les assassins se cachaient sur ce transatlantique. La nouvelle était connue du monde entier sauf...des assassins eux-mêmes, bien entendu. Ils croyaient que leur crime resterait impuni.

Les Canadiens et les Anglais suivaient depuis plusieurs jours déjà la course contre la montre à travers l'Atlantique que se livraient le *Montrose* refuge des meurtriers, et le *Laurentic*. Dans ce dernier navire, l'inspecteur en chef Dew, de Scotland Yard, avait embarqué pour venir arrêter Crippen et sa maîtresse à Pointe-au-Père, à quelques kilomètres de Rimouski. Le navire devait faire relâche dans ce port afin de permettre au pilote du Saint-Laurent de monter à bord.

Chaque jour, des millions de lecteurs suivaient avec grand intérêt dans *Le Soleil* de Québec, *La Presse* et *The Gazette* de Montréal, de même que dans le *Daily Mail* de Londres, pour ne citer que ceux-là, les rebondissements palpitants de cette course à travers l'océan. Même l'aristocratique *Times* de Londres ne dédaigna pas de leur consacrer, en page 6, une longue colonne intitulée: *The Pursuit of Dr. Crippen*, dans son édition du 30 juillet 1910, et quatre colonnes le lendemain. C'est dire l'intérêt extraordinaire que suscitait cette affaire.

L'inspecteur en chef Dew débarqua enfin à Pointe-au-Père le 29 juillet. Le monde retenait son souffle. Une foule de journalistes réservait à prix d'or les chambres les plus minables des rares hôtels de Pointe-au-Père, de Rimouski et des villages environnants. On voulait se trouver aux premières loges au moment de l'arrestation. Déjà les paris allaient bon train. Les uns prévoyaient que les assassins se laisseraient arrêter sans coup férir. D'autres juraient que le docteur Crippen ne permettrait jamais qu'on le capture vivant, et chacun y allait d'une fin des plus rocambolesques.

○

Mais quel crime avaient donc perpétré ces deux fugitifs pour émouvoir à ce point l'opinion publique? Pour le savoir, il faut remonter assez loin.

Né en 1862, à Coldwater (Michigan) Crippen obtint, en 1885 à New York, un doctorat en médecine avec une spécialisation pour les yeux et les oreilles. Deux ans plus tard, il épousa sa première femme, Charlotte Bell, dont il eut un fils prénommé Otto. Vers 1890, Charlotte mourut de façon suspecte et Otto fut envoyé chez sa grand-mère paternelle.

De retour à New York, Crippen épousa, le 1er septembre 1892, sa deuxième femme, Kunigunde Mackamotzi. Comme elle possédait une très belle voix, il lui paya des cours de chant, et elle choisit un patronyme plus facile à prononcer: Cora Turner.

En 1897, au tournant du siècle, le couple alla s'installer à Londres et se créa rapidement une place enviée dans la capitale de l'Empire. Ils achetèrent une maison à Hilldrop Crescent où ils organisèrent des réceptions fort courues. Puis, comme le couple avait du mal à entretenir une si grande résidence, ils retinrent les services d'une aide, Mlle Le Neve. Tout semblait aller pour le mieux dans le meilleur des mondes londoniens, lorsque, le soir du 31 janvier 1910, les Crippen reçurent M. et Mme Paul Martinetti, un couple d'artistes amis de Cora. Ce furent les dernières personnes qui virent Cora vivante.

Au début du mois de février, la Guilde des Dames du Music Hall, dont Mme Crippen était la trésorière honoraire sous le pseudonyme d'artiste de «Belle Elmore», reçut la visite de Mlle Le Neve, la «dactylo-femme-de-ménage» du docteur Crippen. Elle apportait une lettre de sa maîtresse par laquelle cette dernière «démissionnait de ses fonctions et renonçait à son titre de trésorière honoraire du fait qu'elle devait effectuer un voyage aux États-Unis et qu'elle serait absente durant plusieurs mois, car une de ses amies était tombée malade en Californie».

Rien n'aurait paru suspect à ces dames de la Guilde si l'une d'elle, plus fine mouche, n'avait remarqué que le «ELLMORE» de la signature comportait DEUX L alors que Cora épelait toujours son pseudonyme «ELMORE».

Quelques jours plus tard, le docteur Crippen et Mlle Le Neve, sa secrétaire-dactylographe, furent tous deux aperçus à une réception publique. Cela semblait déjà curieux. Mais ce qui le paraissait certainement plus encore, résidait dans le fait que Mlle Le Neve avait décoré sa ravissante poitrine d'une broche. Or la plupart de ces dames ne manquèrent pas de reconnaître le bijou comme appartenant à Mme Crippen.

La rumeur commença à propager de singulières insinuations, lorsque, le 26 mars, un entrefilet nécrologique du journal *Era* annonça, de façon fort concise, le «décès de Mme Crippen, le 23 mars 1910, en Californie, U.S.A.». Pleines de soupçons sur le caractère douteux de ce décès, des amies londoniennes de Mme Crippen adressèrent une lettre au beau-fils de cette dernière à Los Angeles. Otto répondit par retour de courrier qu'il n'avait pas le moins du monde entendu parler de la mort de sa mère.

En juin de la même année, enfin, un gérant de théâtre, J.E. Nash, appela le docteur pour lui demander de plus amples renseignements sur le décès de son épouse. Ce dernier affirma qu'elle était morte dans une petite ville située près de San Francisco, mais dont «il ne pouvait se rappeler le nom, ...ni d'ailleurs à quel endroit la dépouille avait été incinérée».

Le 30 juin donc, M. et Mme Nash se rendirent à Scotland Yard pour faire part à la police de leurs soupçons. L'inspecteur en chef Dew convoqua, pour le 8 juillet, M. Crippen et Mlle Le Neve.

Dès le début de cette entrevue, le docteur avoua sans détours que l'annonce nécrologique n'était qu'un tissu de mensonges:

— Madame Crippen est bel et bien en vie, déclara-t-il sans se démonter. En fait, tôt le matin du premier février, après une réception à notre domicile avec les Martinetti, nous nous sommes disputés. Elle a menacé de partir pour les États-Unis afin de rejoindre son amant à Chicago...

En homme du monde qu'il était, l'inspecteur comprit immédiatement pourquoi on avait essayé de dissimuler le scandale.

Crippen laissa l'inspecteur perquisitionner dans la maison «afin que cessent ces commérages absurdes». Il l'aida même à rechercher des lettres qui auraient pu se montrer révélatrices en jetant un peu de lumière sur ce mystère.

Le lundi suivant, 11 juillet, l'inspecteur en chef Dew téléphona de nouveau chez Crippen. Il apprit avec stupéfaction que le docteur et Mlle Le Neve étaient partis le samedi précédent. Sans hésiter un seul instant, il mit leur absence à profit pour poursuivre plus à fond sa perquisition, le mardi et le mercredi, dans la résidence du docteur. Le soir du deuxième jour, son obstination fut récompensée. Il fit une découverte fort convaincante: des restes de corps humain avaient été enterrés à une très faible profondeur dans le sol de terre battue de la cave. Il retrouva même un morceau de soutien-gorge et un bigoudi.

Un avis de recherche fut immédiatement lancé à travers le monde, appuyé par une récompense de 250 livres sterling à quiconque procurerait des renseignements susceptibles d'entraîner l'arrestation des assassins.

Or, le 22 juillet 1910, soit 13 jours après que les fugitifs aient quitté Londres, un message arriva à la succursale de la Compagnie Canadien-Pacifique à Liverpool:

«*Le Commandant Kendall, du navire Montrose, a reconnu Crippen et Le Neve. Ils voyagent sous le nom de Robinson à bord de son navire, lequel va de Londres à Montréal via Anvers.*»

«À partir de ce moment, écrivit le correspondant particulier du *Times* à Pointe-au-Père, le Dr Crippen et Miss Le Neve ont été capturés dans un réseau serré d'ondes télégraphiques, d'où il était aussi impossible de s'échapper que s'ils avaient été enfermés entre les quatre murs d'une prison. Bien sûr, ils ignoraient totalement la toile d'araignée qui se tissait autour d'eux.» À cette époque, on n'était pas encore blasé de technologie moderne.

Le samedi 23 juillet, l'inspecteur en chef Dew s'élança vers le Canada à bord du *Laurentic*, lequel devait atteindre Pointe-au-Père avant le *Montrose*. Durant cette course contre la montre, tous les yeux restèrent rivés sur les deux navires dont les journaux suivaient l'évolution d'heure en heure. Des milliers de regards épiaient les deux assassins inconscients du danger qui, au contraire, se croyaient bien à l'abri.

Le *Montrose* se mit aussi en communication avec le *Laurentic* qui le rattrapa et le dépassa assez rapidement.

Le vendredi 29 juillet 1910, l'inspecteur en chef Dew débarqua à Pointe-au-Père et le *Laurentic* continua sa course jusqu'à Montréal. Grâce au miracle de la TSF, le policier était tenu au courant par le capitaine Kendall des moindres faits et gestes des fugitifs. L'officier avait ordonné au détective du *Montrose* de les surveiller «afin que le couple d'amants assassins ne s'empoisonnât pas avant d'être placé en état d'arrestation». Kendall était passé maître dans l'art de tenir en haleine l'âme romanesque des Canadiens et des Londoniens.

Lorsque le lent *Montrose* fit enfin escale à Pointe-au-Père, l'embarcation du pilote s'approcha, couverte jusqu'aux écoutilles de journalistes avides d'action. Mais, à leur grand désarroi, ils furent devancés par une vedette rapide où avaient pris place des policiers canadiens et l'inspecteur Dew, tous soigneusement déguisés en pilotes. Dew tenait à procéder aux arrestations par surprise. La méfiance des criminels pouvait en effet être mise en éveil par l'arrivée d'un si grand contingent de «pilotes» et de journalistes.

Le commandant Kendall attendait l'inspecteur Dew sur le pont. Il lui tendit la main en murmurant:

— Vous êtes mon homme!

Les policiers en civil se répartirent immédiatement à travers le navire. Les détectives canadiens Gaudreau et Denis allèrent prendre position à la timonerie.

Le docteur Stewart, chirurgien du bord, causait tranquillement avec les «Robinson» tout en se promenant à pas lents sur le pont du navire. Ils passèrent si près de l'inspecteur Dew que ce dernier aurait pu les toucher. À n'en pas douter, c'était bien Crippen. Il n'y avait plus à hésiter. Soudain l'assassin se retourna pour parler au commandant du navire:

— Commandant......

Mais en même temps, ses yeux se posèrent sur l'inspecteur Dew, et il resta comme pétrifié.

— Je voudrais vous parler un instant, lui lança l'inspecteur qui se retourna vers le gendarme McCarthy, de la Police Montée, pour lui confirmer:

— C'est bien lui!

— Je vous arrête au nom du roi, dit McCarthy d'une voix forte. Vous êtes mon prisonnier. Tout ce que vous direz sera pris par écrit et utilisé contre vous à votre procès!

Les passagers et l'équipage se rendirent compte pour la première fois qu'un fait insolite était en train de se dérouler. Ils commencèrent à s'attrouper. Aussi McCarthy décida-t-il d'emmener son prisonnier vers le pont inférieur.

Enfin sorti de sa première stupéfaction, Crippen s'écria d'une voix débordante de colère:

— Mais... Avez-vous un mandat d'arrêt? De quoi suis-je accusé?

McCarthy sortit immédiatement le mandat signé par le juge Angers de Québec. Crippen l'arracha des mains du policier et lut à haute voix:

— Meurtre et mutilation! Bon Dieu!...

Pâle de colère, l'assassin se retourna alors vers le commandant Kendall. Il pointa vers lui un index menaçant et lança d'une voix basse et avec un rictus de haine:
— VOUS, IL VA VOUS ARRIVER MALHEUR!

Cet avertissement, qui ressemblait à une malédiction allait se réaliser trois ans plus tard. Au même endroit! Au large de Pointe-au-Père.

Quelques minutes plus tard, McCarthy arrêtait Mlle Le Neve dans sa cabine. Elle s'y était réfugiée, toute tremblante, après avoir aperçu de loin que l'on passait les menottes à son amant.

McCarthy la trouva allongée sur le lit, encore revêtue de son déguisement de garçon. Son visage extrêmement pâle et ses lèvres tremblantes trahissaient son désarroi.

○

Le capitaine Kendall, qui avait si bien repéré et surveillé les assassins, reçut la récompense de 250 livres sterling offerte par Scotland Yard:

Je les ai découverts environ deux heures après avoir quitté Anvers où le Montrose avait fait escale avant de s'élancer vers le Canada. Je me suis arrangé pour parler avec eux, tout en les observant soigneusement. Ce qui me confirma dans mon intime conviction.

Ils ont réservé leurs billets à Bruxelles sous les noms de Mr. John Robinson et de Master Robinson. Ils ont ensuite embarqué à Anvers en costumes marron, chapeaux mous gris et chaussures de toile blanche. Ils ne possédaient pas de bagage, excepté un petit sac acheté sur le continent.

Mes soupçons ont été éveillés lorsque je les ai aperçus sur le pont à proximité d'une chaloupe de sauvetage. Le Neve serrait la main de Crippen de façon si pressante que cela me parut bizarre pour deux hommes. Je les ai donc suspectés immédiatement. (L'officier avait bien entendu été averti de leur fuite par la presse belge.)

Je ne révélai rien aux officiers jusqu'au lendemain matin. Mon second les surprit lui aussi dans des attitudes troublantes... Pendant l'heure des repas, j'examinai leurs chapeaux. Celui de Crippen portait la marque JACKSON, BOULEVARD DU NORD. Celui de Le Neve n'était identifié par aucun nom, mais quelque rembourrage avait été ajouté à l'intérieur afin de mieux épouser le tour de tête du «jeune homme».

Le Neve avait les manières et l'apparence d'une jeune fille polie et modeste. Elle ne parlait pas beaucoup, mais arborait toujours un agréable sourire. Elle semblait entièrement sous sa domination et il ne la laissait jamais seule le moindre instant. Le costume de garçon ne lui seyait pas très bien. Le pantalon semblait trop étriqué aux hanches. Derrière, de grosses épingles à nourrice le retenaient.

Je les ai placés sous stricte surveillance tout au long du voyage. S'ils s'étaient rendu compte de quoi que ce fût, ils auraient peut-être commis un geste désespéré. J'avais remarqué un revolver dans la poche de Crippen. Il rasait chaque jour sa lèvre supérieure et sa barbe poussait bien. Il la caressait souvent et en semblait fort satisfait. Cela le faisait ressembler de plus en plus à un fermier. Mais on remarquait toujours sur son nez la marque des lunettes qu'il ne portait plus.

Il s'asseyait sur le pont pour lire ou pour faire semblant. Ils paraissaient tous deux bien apprécier leurs repas. Ils n'ont jamais eu le mal de mer. J'ai eu l'occasion de parler longuement avec lui. Il connaît bien Toronto, Detroit et la Californie. Il me disait qu'il voulait emmener son «garçon» dans ce dernier État pour des raisons de santé.

Il a emprunté plusieurs livres à la bibliothèque du navire. Au moment de son arrestation, il lisait un roman policier: Un meurtre à Londres avec une récompense de 1000 livres!

Lorsque j'ai commencé à me douter de l'identité du criminel, j'ai vite réuni tous les journaux que j'ai pu trouver à bord, de façon que ce genre de nouvelle ne tombe pas entre ses mains. Pour vérifier s'il avait bien de fausses dents, comme le décrivait le signalement, je lui ai raconté une histoire qui l'a fait rire à gorge déployée. La ruse a réussi.

À table, les manières de «son garçon» paraissaient très féminines. Sa façon de manier le couteau, la fourchette, de saisir les fruits avec deux doigts. Crippen n'arrêtait pas de casser les noix pour elle, de lui donner la moitié de sa salade. Il lui accordait une attention constante...

À deux ou trois occasions, alors que Crippen se promenait sur le pont, je l'interpellai sous le nom de «Mr. Robinson». Il ne se rendit pas compte que je m'adressais à lui. Un jour, ce fut seulement par la présence d'esprit de sa maîtresse qu'il se retourna. Il s'excusa alors de ne pas m'avoir entendu, prétextant que le froid l'assourdissait.

Il s'asseyait souvent sur le pont et levait les yeux vers l'antenne de TSF qui émettait des étin-

celles électriques en craquant: «Quelle merveilleuse invention! me lança-t-il un jour.»

Ah, s'il avait su que ces craquements parlaient de lui!

○

Le docteur Hawley Crippen fut extradé, jugé et condamné à mort pour le meurtre de son épouse.

Il ne fait pas l'ombre d'un doute que Mme Crippen avait été assassinée par son mari. Pourtant, un meilleur avocat aurait pu convaincre les jurés que ce crime n'avait été en fait qu'un accident; et l'accusé aurait pu s'en tirer avec une simple peine de prison. Un autre avocat, Marshall Hall qui n'avait pas eu la chance d'être choisi comme défenseur, avança «la théorie anti-aphrodisiaque». Selon lui, Belle était une nymphomane et cela minait la santé de Crippen qui devait répondre à une double demande: celle de sa maîtresse, Ethel Le Neve, et celle, plus exigeante encore, de son épouse. Dans le but de limiter l'appétit sexuel insatiable de cette dernière, le docteur Crippen lui administrait donc secrètement un anti-aphrodisiaque puissant, appelé bromure de hyoscine. La dose, versée dans sa boisson, devait être régulièrement augmentée à cause du phénomène d'accoutumance. Or, après le départ des Martinetti, il lui avait versé par erreur ce que l'on appellerait aujourd'hui une surdose de drogue. Sa femme avait rendu l'âme et Crippen avait perdu la tête en pensant au scandale qui allait s'ensuivre. Il s'était donc résolu à dépecer le cadavre en quartiers, et à brûler les morceaux. Puis il s'était débarrassé de toutes pièces incriminantes. Selon cette théorie, Mlle Le Neve était présente sur les lieux lorsque le drame s'était déroulé, vers 1 h 30, le matin du 1er février. Mais Crippen refusa, semble-t-il, de présenter une défense semblable de peur d'impliquer sa maîtresse bien-aimée dans une quelconque complicité. Il préférait mourir seul; ce qui pare tout de suite ce meurtrier d'un reflet beaucoup plus sympathique.

Cependant, il semble bien en réalité que Belle ait été assassinée avec préméditation. Le docteur William Willcox affirma, à la barre, qu'il avait découvert 20 mg de bromure de hyocine dans les organes qu'il avait analysés, ce qui équivalait à plus de 30 mg dans l'ensemble du corps de la victime.

Au moment du départ des Martinetti donc, le docteur Crippen tenait sa femme par les épaules sur le perron de leur belle résidence. Ils étaient ensuite entrés et le docteur avait gentiment proposé un «bonnet de nuit[1]» à son épouse, afin de lui administrer le bromure de hyocine. Malheureusement, une erreur de dosage avait provoqué l'effet contraire. Le «bonnet de nuit» avait déclenché une véritable crise d'hystérie. Belle poussait des hurlements qui risquaient d'ameuter le quartier. Pris de panique devant une telle situation, son mari était allé chercher le revolver que l'inspecteur Dew trouva au cours de ses perquisitions, mais qui, pour des raisons inexpliquées, ne fut pas produit durant le procès. Les hurlements de Belle et le coup de feu furent d'ailleurs parfaitement entendus par une voisine, Mme Glackner. Selon cette dernière des implorations telles que:

---

1. Un *nightcap* est à la fois un bonnet de nuit et une boisson alcoolisée, prise avant de se coucher, et qui est censée servir de somnifère.

«Oh, ne fais pas ça! Ne fais pas ça!» avaient précédé le coup de feu.

Mais, pour des raisons mystérieuses, Mme Glakner ne fut pas appelée à témoigner.

Le fait que la tête ait totalement disparu semble confirmer cette thèse. Elle comportait le trou révélateur de la balle; et Crippen avait pris un soin tout particulier à la faire disparaître. La tête ne fut jamais retrouvée.

Selon Tom Cullen, la présence du bigoudi avec la mèche de cheveux blonds décolorés[2] suggère que le meurtre eut lieu dans la chambre à coucher. Quant à l'absence de taches de sang, elle laisse penser que l'horrible dépeçage du corps, le démembrement et la décapitation se déroulèrent dans la baignoire de la salle de bains adjacente à cette chambre à coucher. Le fait que la tête et les membres ne furent jamais retrouvés, en dépit de toutes les recherches, semble impliquer que Crippen les brûla, puis les réduisit en poudre ou les précipita de nuit dans quelque canal ou cours d'eau.

○

L'assassin fut condamné à mort le 21 octobre. Quatre jours plus tard, commença dans la même salle le procès pour complicité de Mlle Ethel. Elle fut acquittée.

Trois jours avant l'exécution de Crippen, des journalistes qui cherchaient à illustrer leur ultime

---

2. Le bigoudi et les cheveux sont aujourd'hui exposés au Musée Noir de la police.

article, proposèrent à la belle Ethel Le Neve un cachet assez considérable afin de la persuader de bien vouloir poser pour quelques photographies. Elle vint donc au Commissariat de Bow Street, afin de récupérer le pantalon de garçon et le chapeau qu'elle portait sur le *Montrose*, lors de l'arrestation de Pointe-au-Père.

À côté de la photo d'Ethel habillée en garçon, les journaux publiaient la «lettre d'adieu à la vie» de Crippen dans laquelle il protestait une fois de plus de l'innocence de sa bien-aimée. Quelques heures avant la pendaison, au fond de sa sombre cellule de condamné à mort, il rimait encore des poèmes pour elle.

○

Hawley Crippen fut pendu à la prison de Pentonville, le 23 novembre 1910, à neuf heures du matin. L'Exécuteur des Hautes-Œuvres était J. Ellis, de la famille des bourreaux anglais d'où était issu l'Exécuteur canadien Arthur Ellis. Juste avant de mourir, le condamné demanda à ce qu'un petit paquet ficelé fût placé dans le cercueil, contre son cœur. C'étaient les lettres d'Ethel Le Neve.

Cette permission lui fut accordée.

○

La malédiction que Crippen avait vociférée le jour de son arrestation: «Vous, il va vous arriver malheur.

Tôt ou tard!» avait, ce jour-là, un peu échaudé l'enthousiasme débordant du commandant Kendall qui baignait dans sa fierté d'avoir été à l'origine de l'arrestation des deux criminels.

Mais il avait vite oublié ces menaces. Après tout, il n'était pas superstitieux.

Or, trois ans et demi après que la potence eut libéré Kendall de la crainte d'une vengeance, la malédiction se réalisa dans toute sa cruauté, à l'endroit précis où elle avait été proférée. (À lire dans le tome 2, *Les grands dossiers criminels du Canada*.)

Photo : Syndication International

Le crime des amants Crippen faisait la manchette non seulement des journaux canadiens mais aussi des journaux britanniques. Le *Weekly Dispatch* montrait l'assassin entouré de ses deux épouses et de sa maîtresse.

Le nécrophile aux yeux bleus

Earle Nelson, l'assassin nécrophile.

Photo : Western Canada

Winnipeg sommeillait au milieu des champs de blé. Cet après-midi de juin 1927 était beau et ensoleillé. Plutôt petit de taille, mais fort bien vêtu, un homme arpentait l'avenue de Portage, l'artère principale de la capitale manitobaine[1]. Apercevant, de l'autre côté de la rue, une pancarte blanche sur laquelle brillaient les lettres rouges de CHAMBRE À LOUER, il jeta un coup d'œil à la façade et la trouva sans doute digne de lui, puisqu'il traversa la chaussée en quelques enjambées.

Après avoir soigneusement rajusté son feutre sombre et sa cravate, il frappa à la porte de chêne sculpté. Mme Auguste Hill, la propriétaire de la maison de rapport, vint ouvrir:

— Bonjour, madame! Je suis à la recherche d'une chambre. Auriez-vous la gentillesse de me montrer ce que vous avez?, demanda l'inconnu qui souleva son chapeau en personne bien éduquée.

La dame remarqua le costume assez élégant de l'homme qui affichait une trentaine d'années, puis posa ses yeux sur une grosse Bible qu'il tenait dans sa main gauche:

— Mais oui, monsieur! Je vous en prie; entrez donc!

Mme Auguste Hill se flattait de savoir choisir ses locataires du premier coup d'œil; l'habitude et...une intuition infaillible. Le regard bleu profond de cet

---

1. L'avenue de Portage est la route qui prend la direction de Portage-la-Prairie, la ville voisine.

homme de 1,65 m ne pouvait qu'exprimer la franchise, car il savait regarder droit dans les yeux et ne clignait jamais. Et puis, la Sainte Bible qu'il tenait comme un clergyman! Aucune hésitation. Elle lui attribua une très jolie chambre bien meublée dont il paya rubis sur l'ongle le loyer de la première semaine.

Après avoir soigneusement installé sa valise sur une chaise et posé sa Sainte Bible sur la table de nuit, le nouveau locataire sortit pour visiter le centre-ville de Winnipeg.

À quelques rues de là, il croisa une jeune fille de seize ans qui vendait des fleurs artificielles. Très jolie, mais très pauvre aussi — ce qui à la limite peut sembler contradictoire — tout le monde la connaissait et l'aimait bien pour sa gentillesse. On lui achetait des fleurs pour lui rendre service, sachant que, par son modeste et honnête commerce, elle faisait vivre toute sa famille, dont une sœur handicapée.

Cette nuit-là, la jolie Lola Cowan, car tel était son nom, disparut mystérieusement. Sa malheureuse famille signala aussitôt sa disparition à la police qui commença une intense recherche. Mais en vain.

Le soir suivant, 10 juin 1927, lorsqu'un Winnipégois, nommé William Paterson, rentra chez lui après une journée de travail bien remplie, il trouva ses enfants seuls:

— Où donc est maman? leur demanda-t-il.

— On ne sait pas. Quand on est rentré de l'école, elle n'était pas revenue. On pensait qu'elle était avec toi.

M. Paterson fit le tour des voisines, mais sans aucun résultat.

Tard dans la soirée, il s'agenouilla, découragé, au pied de son lit afin d'adresser à Dieu une fervente prière destinée à lui faire retrouver sa chère épouse dans les plus brefs délais. Jamais prière ne fut plus vite exaucée. En se relevant, il aperçut, sortant de sous le lit, la main de sa femme.

Elle gisait là, sauvagement mutilée, nue, étranglée. Le médecin légiste établit qu'elle avait été violée après sa mort. Elle avait été étranglée par des mains d'une force inouïe.

○

À la même époque, la presse canadienne et américaine faisait grand état de multiples meurtres perpétrés sur le territoire des États-Unis. Un maniaque nécrophile terrorisait l'Amérique du Nord.

Tout avait commencé l'année précédente à San Francisco.

Le 20 février 1926, un homme petit et jeune, habillé proprement, avait frappé à la porte d'un immeuble de rapport. Il portait à la main une Bible et un journal plié:

— Je viens pour l'annonce dans le journal. Je voudrais louer une chambre.

Séduite par l'aspect tranquille et par les beaux yeux bleus de l'homme plus que par sa Bible, Mme Clara Newman l'avait prié d'entrer:

— Suivez-moi, monsieur. La chambre est au troisième étage.

Alors qu'elle montait les escaliers, l'homme observait avec attention le dos de la dame qui le précédait. La jolie robe de la belle Clara laissait deviner des merveilles qui provoquèrent très vite un étrange rictus sur le visage de l'individu. Un des coins de sa bouche se relevait convulsivement. Sûre de l'effet qu'elle produisait, Clara montait les escaliers d'un pied alerte en balançant légèrement les hanches.

— C'est un peu haut, n'est-ce pas? lança-t-elle.

L'homme ne répondit pas, et Clara n'en fut que plus flattée, car elle imaginait sans peine la profonde impression et le trouble qui devaient l'envahir en la suivant de si près.

Ah! si elle avait su que l'homme qu'elle précédait était un dangereux psychopathe et que, en atteignant le palier du troisième étage, il glissait déjà sa Sainte Bible dans la poche de son manteau afin de libérer ses énormes mains d'étrangleur!...

À peine sur le palier, elle sentit sur son cou deux grosses mains. Durant une fraction de seconde, un grand tressaillement de plaisir lui parcourut l'échine. Mais les mains serrèrent immédiatement et le frisson devint bientôt une convulsion d'agonie. L'homme garda l'étreinte mortelle pendant deux minutes, afin de bien s'assurer qu'il ne restait plus un souffle de vie, puis il lâcha le corps mou sur le plancher. Ramassant ensuite la clé qui était tombée de la main désormais inerte de la jeune femme, il ouvrit la porte de la chambre, tira le cadavre dans la pièce confortable qu'elle lui avait destinée et referma rapidement la porte à double tour.

Puis, dans une hâte fébrile, il arracha les vêtement de la propriétaire, se dévêtit et viola le cadavre encore chaud, tandis que sa bouche se tordait dans un rictus affreux.

Richard Newman, le neveu de la propriétaire, qui avait vaguement aperçu le maniaque dans le couloir, ne put donner qu'un signalement aussi incomplet qu'inutile: un homme assez petit, aux yeux bleus, au teint mat, avec un journal et une Bible dans la main.

Des milliers d'homme pouvaient répondre à cette description.

Douze jours plus tard, une autre propriétaire d'immeuble de rapport, Mme Laura Beale, subit exactement le même sort. Les journaux commencèrent à parler de l'Étrangleur de San Francisco.

Puis le 10 juin de la même année 1926, ce fut le tour de Mme Lillian St-Mary. Mme George Russell suivit, le 26 juin, et le 16 août Mme Mary Nesbit. Toutes étaient propriétaires de maisons de rapport assez cossues.

La police s'agitait tellement que l'assassin, nommé Earl Nelson, décida de prendre des vacances bien gagnées en Oregon. À San Francisco, les concierges purent enfin sortir de leur frayeur.

Le 19 octobre, après trois mois et demi de calme, Nelson voulut inaugurer son nouveau territoire de chasse de Portland (Oregon) en étranglant coup sur coup Mme Beta Withers et, le lendemain, Mme Mabel Flurke. Toutes deux étaient de belles propriétaires. Les deux cadavres furent violés *post mortem*.

Alors que la police de Portland étaient en état d'alerte, Nelson, flegmatique comme son célèbre homonyme anglais, assassinait et violait Virginia Grant, le 28 octobre, puis ramenait ses pénates et son sadisme à San Francisco. Là, le 10 novembre, il étranglait froidement et violait sa neuvième concierge, la belle Mme William Edmonds. Cinq jours plus tard, pour brouiller les pistes et donner ainsi plus de fil à retordre à la police, il faisait un saut à Portland pour y faire sa dixième victime, Mme Blanche Meyers.

Noël arrivait. Le monstre décida de célébrer cette fête à sa manière, afin d'oublier les terribles maux de tête qui ne le quittaient que dans ses moments de délire nécrophile. La veille de Noël, il étrangla Mme

John Bérard, à Council-Bluffs (Iowa). Le 28 du même mois, se sentant de plus en plus traqué, il arrivait à Kansas City (Missouri) où il massacrait Mme Harpin et son bébé de huit mois, avant de les violer toutes deux.

Ce dernier crime, si monstrueux, souleva une telle vague d'horreur que le maniaque se vit obligé de rentrer dans l'ombre pendant plusieurs mois.

Pourtant, le psychopathe ne put maîtriser sa sexualité débordante pendant plus de quatre mois. Le 27 avril 1927, à Philadelphie, sa ville natale, il étranglait Mary McConnell, et le 1er mai, Jennie Randolph à Buffalo (New York).

Un mois plus tard, jour pour jour, la police de Detroit entrait en transes lorsqu'on trouva deux sœurs assassinées et violées, Minnie May et M.C. Athorthy. Puis ce fut à Chicago que Nelson fit sa dernière victime américaine, Mme Mary Stetsome, avant de passer au Canada.

L'ensemble du territoire américain était en plein effervescence. Aussi pensa-t-il qu'il valait mieux profiter de la proximité de la frontière canadienne pour changer d'air, sinon d'horizon. Les immenses étendues désertiques du Canada lui parurent idéales pour se fondre dans la nature.

Mal lui en prit! Nelson ignorait que les villes populeuses sont plus propices que les déserts pour disparaître sans laisser de trace. Sa Sainte Bible à la main, il prit donc le train pour Winnipeg, la Porte des Prairies canadiennes. Cette erreur allait lui être fatale.

O

Mais d'où lui venait donc cette habitude de tenir dans sa puissante main d'étrangleur une Sainte Bible reliée de cuir? Était-ce pour mieux inspirer confiance à ses victimes? Il faut remonter à sa plus tendre enfance pour échafauder un début d'hypothèse.

Né à Philadelphie, en 1897, Earl Nelson ne connut jamais vraiment ses parents qu'il perdit en bas âge dans un accident. Sa tante l'adopta. Protestante fondamentaliste, cette dernière nourrissait une foi profonde. Très tôt, le jeune Nelson dut longuement lire et méditer la Bible chaque jour. Il se plia d'ailleurs fort bien à cette rigueur et on peut affirmer que la nature mystique de l'enfant donna entière satisfaction à sa mère adoptive.

— Je ferai de toi un pasteur, lui répétait-elle fréquemment et avec une grande fierté.

Malheureusement, le jeune Earl fut un jour victime d'un accident de la circulation. Alors qu'il jouait à la balle dans une des rues de Philadelphie, il fut happé par le «pare-vache» d'un tramway, cette espèce de grille placée à l'avant, destinée à empêcher un animal de passer sous les roues des locomotives et des vieux tramways.

Le pied pris dans le «pare-vache» et la tête rebondissant sur le dur pavé de la rue, l'enfant fut traîné sur plusieurs mètres avant que les cris stridents des passants n'avertissent le chauffeur.

Earl resta pendant près d'une semaine entre la vie et la mort. Puis, grâce aux soins attentifs de sa tante et de sa cousine Rachel, il se rétablit. Tout au moins physiquement, car son caractère changea du tout au tout. Son mysticisme s'aggrava à un point tel qu'il ne se déplaça plus sans sa Bible. Il la tenait religieusement dans ses mains trop grandes pour son âge.

D'un autre côté, il commença à prendre sa cousine pour souffre-douleur, lui tirant les cheveux ou la battant en esquissant déjà le rictus qu'on lui connut quelques années plus tard. Lorsque sa tante lui reprochait sa méchanceté, il tombait à genoux pour demander pardon. Puis, l'ayant obtenu, il se réfugiait dans sa chambre pour y lire à haute voix et pendant des heures des versets de la Bible.

Sa bonne tante le prit un jour en train d'observer par le trou d'une serrure. De l'autre côté de la porte close, sa cousine se déshabillait pour se mettre en pyjama. Tante Lillian sentit le sang se glacer dans ses veines lorsqu'elle entendit les bizarres gloussements de plaisir qu'émettait l'adolescent en tordant sa bouche.

Pour fêter ses 21 ans, en 1918, Nelson tenta de violer une petite voisine qu'il avait subrepticement entraînée dans le sous-sol. Il fallut les bras de deux solides policiers et du père de la fillette pour le maîtriser. Condamné à deux ans de prison pour tentative de viol, il faussa compagnie à ses gardiens la semaine suivante. Il fut repris, mais réussit à retrouver la clé des champs six mois après. Enfin, la police le captura quelques semaines plus tard, alors que, debout sous la pluie dans le jardin, il observait sa cousine qui se déshabillait dans sa chambre à coucher. Quelques mois après, au début de décembre 1918, il s'échappa de nouveau pour vivre les neuf ans de liberté qui allaient le conduire sur une potence canadienne.

Il changea de nom, se fit appeler Roger Wilson et se maria. Mais sa jalousie maladive provoqua rapidement des incidents et des brutalités qui amenèrent sa femme à l'hôpital pour dépression nerveuse. L'homme entra un jour dans la chambre de la malade, tenta de la violer, et il fallut plusieurs docteurs pour en venir à bout. Dans la mêlée, il réussit pourtant à s'éclipser et on n'en entendit plus parler avant février 1926, lorsqu'il étrangla sa première victime, Mme Clara Newman avant de la violer *post mortem*.

○

À Winnipeg (Canada), le soir du 10 juin 1927, lorsque M. William Paterson eut trouvé le cadavre violé de sa femme sous le lit de sa chambre à coucher, un souffle d'effroi balaya toute la ville:
«L'ÉTRANGLEUR DE SAN FRANCISCO EST AU CANADA!»
Pourtant, tout ne concordait pas. Alors que l'assassin se contentait de violer des tenancières d'immeubles de rapport, l'inspecteur de la Police Montée George Smith, chargé de l'enquête, constata que le maniaque de Winnipeg avait dérobé des vêtements, l'alliance de Mme Patterson, 70 $ en espèces, et... une Sainte Bible. Il avait aussi laissé sur les lieux du meurtre, ses propres vêtements, premières pièces que la police possédait du monstre. Pourtant, persuadé que l'assassin de Winnipeg et l'Étrangleur de San Francisco ne faisaient qu'un seul et même individu, l'inspecteur Smith lança une vaste opération de ratissage dans tous les immeubles de chambres à louer de cette métropole de l'Ouest canadien.
Il vint enfin frapper à la porte de Mme Hill:
— Avez-vous pris un locataire à l'air bizarre, ces derniers temps? demanda-t-il à la propriétaire.
— Non, en tout cas pas depuis l'arrivée de M. Wilson! répondit la dame en rajustant son peignoir.

— Quand?

— Mercredi dernier.

— Puis-je le voir ou visiter sa chambre?

— Mais oui bien sûr, monsieur. Suivez-moi.

Dès que la propriétaire eut déverrouillé et ouvert la porte de la chambre de Nelson, une odeur nauséabonde envahit le couloir.

— Mon Dieu. Je m'excuse, s'écria la dame, rouge de confusion. Je vais ouvrir la fenêtre.

Soudain, le gendarme poussa un hurlement. Il venait d'apercevoir, tassé sous le lit, le corps d'une femme nue. C'était celui de la jeune vendeuse de fleurs artificielles. Son corps étranglé et violé avait été littéralement éventré par le tueur. Et cela avait été fait, comme le confirma plus tard le médecin légiste, SANS COUTEAU; à mains nues!

Laissant M. Hill réconforter son épouse en plein état de choc, l'inspecteur lança immédiatement un avis de recherche contre «Roger Wilson, l'Étrangleur de San Francisco, un homme de race blanche, petit, blond, aux yeux bleus.»

Pendant ce temps, Earl Nelson, qui avait jugé bon de changer d'air — on le comprend —, sortait de la gare de Regina (Saskatchewan). Il loua, suivant une habitude désormais bien ancrée, une chambre dans une pension de famille. Puis, désireux de passer la soirée en charmante compagnie, il jeta son dévolu sur une jeune et jolie voisine de chambre, dont il essaya, sans perdre de temps en galanteries inutiles, de déchirer le corsage et la jupe.

Pourquoi n'essaya-t-il pas de la rendre plus paisible et plus docile en l'étranglant au préalable, comme il l'avait toujours fait jusque-là avec ses *flirts*? Nul ne le savait. Peut-être sa timidité avec les femmes diminuait-elle? Toujours est-il que la belle et polie

Canadienne se défendit comme un chat sauvage en poussant des hurlements si déchaînés qu'ils attirèrent à la rescousse les autres locataires, et bientôt la police elle-même. Mais notre nécrophile bredouille avait déjà eu le temps de prendre le large.

La Police Montée de Regina contacta immédiatement celle de Winnipeg. Il fut décidé de bien surveiller la zone frontalière, plate comme une table de billard et totalement dépourvue de végétation. Un homme pouvait difficilement s'y cacher s'il voyageait de jour. Il semblait évident que Earl Nelson, alias Roger Wilson, allait tenter de regagner les États-Unis dans les plus brefs délais.

Les gendarmes avaient été inspirés. Deux jours après, un véhicule de la Police Montée localisa un piéton qui marchait nonchalamment sur une route déserte entre Killarney (Manitoba) et la frontière américaines, une vingtaine de kilomètres plus au Sud:

— Bonjour, monsieur. Pouvez-vous me dire votre nom? demanda l'un des deux gendarmes en roulant au pas du piéton solitaire.

— Wilson...Je suis vacher. Je travaille dans un ranch non loin d'ici.

L'homme ne semblait pas troublé le moins du monde par les questions des gendarmes. Mais, comme il correspondait parfaitement au signalement de «Wilson» — le tueur n'avait même pas pris la précaution de modifier son pseudonyme, mais les Wilson sont extrêmement nombreux au Canada anglais — le gendarme lui lança une nouvelle question en observant bien les réactions sur le visage de l'individu:

— On cherche un homme qui a tué vingt femmes.

L'assassin éclata d'un rire bruyant:

— Oh moi, je ne tue les femmes que les samedis soirs, lança-t-il en riant aux larmes.

Surpris et désarçonné, le gendarme hésita puis réussit à dire:

— En tout cas, on va vous ramener à Killarney pour vérifier vos déclarations.

— C'est normal, répondit imperturbablement le psychopathe. Je suppose que vous devez prendre toutes les précautions avec un tueur dans la nature.

De retour au commissariat de Killarney, les deux gendarmes attachèrent Wilson à un barreau de la cellule à l'aide de ses menottes, puis ils fermèrent la porte du commissariat à double tour pour aller téléphoner à la cabine publique[2] afin de signaler à la Police Montée de Winnipeg la capture du suspect. Mais au lieu de laisser l'un des hommes à la garde du prisonnier, ce dernier fut livré à lui-même. Aussi, à leur retour, l'oiseau s'était envolé. Il avait crocheté les menottes, la grille de sa cellule et la porte du commissariat[3]!

Dès cet instant, une véritable armée de vigilentes[4] se mit à battre toute la région. Mais le ratissage ne donna rien. Le tueur, fort futé, dormait paisiblement dans une grange qui touchait presque le commissariat et où personne, bien entendu, n'avait eu l'idée d'aller perquisitionner.

Le lendemain, Nelson se rendit tranquillement à la gare, alors que les chercheurs volontaires dormaient épuisés. Après avoir passé quelques minutes

---

2. Peut-être le téléphone était-il en dérangement, ou alors ne voulaient-ils pas téléphoner en présence du suspect.

3. Selon une autre source, le gendarme Dunn serait resté au commissariat, mais se serait absenté pour acheter des allumettes, laissant au détenu le temps de s'enfuir.

4. Civils volontaires pour prêter main forte à la Police Montée. Les vigilentes avaient parfois tendance à exécuter les prisonniers sans jugement. Spécialement aux États-Unis où les citoyens faisaient en général la loi.

dans la salle d'attente, il sortit sur le quai en entendant arriver le train en provenance de Winnipeg qu'il se proposait de prendre. Or ce train amenait justement, entre autres passagers, le commissaire Smith et ses cinquante gendarmes. Ils accouraient à l'appel téléphonique des deux agents de Killarney pour participer aux recherches. Smith reconnut immédiatement le fugitif à son signalement et à ses réactions de panique. Il se trouva aussitôt cerné par une meute de gendarmes. Il fut facilement maîtrisé et arrêté sur le champ.

○

L'étrangleur nécrophile passa aux assises en novembre 1927 pour le meurtre d'Emily Patterson de Winnipeg. Il fut condamné le 14 du même mois à mourir par pendaison le 13 janvier 1928.

Impassible tout au long du procès, Nelson le resta aussi durant son dernier mois de cellule. Il passa son temps à lire la Bible et à méditer. La visite de sa mère adoptive et de son épouse, Mme Roger Wilson, venues des États-Unis, ne réussit même pas à le sortir de sa torpeur. Il ne leur adressa pas le moindre mot.

L'exécution eut lieu un vendredi 13! Le 13 janvier 1928, à l'aube, dans la cour de la prison de Winnipeg. Nelson gravit en silence les 13 marches de la potence. Mais, lorsque le bourreau voulut lui passer la cagoule noire, le condamné l'arrêta d'un geste et se lança dans un véhément et ultime plaidoyer:

«Je suis innocent devant Dieu et devant les hommes, s'écria-t-il. Je pardonne à ceux qui m'ont trompé et je demande pardon à ceux que j'ai blessés. Que Dieu ait pitié de moi.»

Lorsqu'il se tut, le bourreau rabattit la cagoule et déclencha la trappe.

Dix minutes après, le docteur déclara que le supplicié avait cessé de vivre. Haut dans le ciel, un petit nuage s'éloignait, poussé par le vent de la Prairie canadienne.

Immédiatement après la pendaison, le corps fut demandé par le Révérend Père Webb, au nom de la famille.

○

De 6 heures du soir jusqu'à une heure avancée de la nuit, le corps du supplicié resta exposé au funérarium Barker. Plus de mille personnes défilèrent à pas lents devant le cercueil gris. Jamais encore, dans l'histoire criminelle de Winnipeg, un condamné n'avait attiré un tel nombre de curieux de sexe féminin. Le lendemain, les visites reprirent jusqu'à 14 heures. Des gendarmes s'occupaient du maintien de l'ordre dans le salon funéraire.

Gravé sur la bière, on lisait le véritable nom de Nelson: Earl J. Ferrell, celui de ses parents morts dans son enfance. Les vêtements de l'exécution avaient été remplacés par «un complet-veston gris foncé, rehaussé d'une chemise blanche au col empesé et noué par une cravate gris clair». Un journaliste remarqua ces détails vestimentaires. Tout autour brûlaient des cierges. Une forêt de cierges.

À 15 heures, le corps fut placé dans un conteneur de métal et expédié par chemin de fer à San

Francisco où l'attendaient son épouse et sa tante, Mme Lillian Fabian.

Ainsi, son épouse récupéra-t-elle enfin son mari!

La dernière messe

Dans sa petite église en rondins, Notre-Dame-du-Bon-Conseil, située à la mission de Lac-à-la-Grenouille[1], le prêtre français Léon Fafard célébrait la messe du Jeudi saint devant une assemblée composée d'Indiens, de Métis et de Blancs. C'était le 2 avril 1885.

Soudain, Esprit-Errant, un chef indien au sang chaud, entra et posa un genou sur la terre battue de l'allée centrale. De toute évidence, ce n'était pas pour adorer le Saint Sacrement qui reposait dans le ciboire, car il tenait, en guise de missel, une lourde Winchester 303 chargée jusqu'à la gueule, et le gros doigt bronzé de l'Indien tapotait nerveusement la gachette noire. De plus, le chef des Cris des Plaines avait revêtu ses habits de guerre: une coiffe en peau de lynx couvrait partiellement ses épaisses nattes noires aux cheveux bouclés, caractéristique extrêmement rare chez les Indiens qui révélait sans doute quelque lointain ancêtre européen. Il avait aussi peint en jaune, la couleur de la guerre, ses paupières, ses lèvres et son menton.

Immobile et comme recueilli, Esprit-Errant fixait avec intensité le père Fafard qui, de son côté, continuait de dire sa messe en feignant d'ignorer non seulement l'attitude hostile de l'Indien, mais aussi le tapage qui provenait de l'extérieur:

---

1. Aujourd'hui dans la province de l'Alberta. En 1885, cette région faisait encore partie des Territoires du Nord-Ouest.

— *Dominus vobiscum!* lança le prêtre crispé après s'être tourné vers l'assemblée terrifiée.

— *Et cum spiritu tuo,* répondit une unique voix.

Pendant ce temps, des guerriers peints en jaune entraient eux aussi dans l'église. Ils chantaient et dansaient au son d'un tam-tam, les bras chargés de vêtements et de bouteilles d'alcool volés au magasin de la Compagnie de la Baie d'Hudson. Ils cessaient par moments de chanter pour avaler quelques gorgées d'eau de feu, puis reprenaient leur interminable mélopée.

Quand le père Félix Marchand, un tout jeune prêtre de la mission voisine de Lac-à-l'Oignon, menaça d'intervenir, le père Fafard, d'un geste rapide, lui fit signe de rester immobile. La fusillade pouvait éclater au moindre geste. Comme pour lui donner raison, Esprit-Errant lâcha soudain une bordée de coups de feu assourdissants juste au dessus de la tête du père Fafard, rechargeant à chaque fois son arme en manœuvrant de la main droite le levier d'armement. Les assistants indiens et blancs, pétrifiés de terreur, se jetèrent sur le sol. Une fenêtre claqua. Des éclats de bois se mirent à pleuvoir sur l'assemblée prosternée.

Au milieu des Indiens depuis dix ans, le père Fafard était devenu un grand ami de Gros-Ours, le grand chef des Cris, supérieur hiérarchique d'Esprit-Errant. Mais ce dernier, enflammé par les nouvelles de la victoire des Métis francophones sur la Police Montée à Lac-au-Canard, avait entraîné quelques jeunes têtes-brûlées de la tribu à s'insurger. Il détestait les Blancs qui les forçaient, eux les Indiens, à s'enfermer dans les réserves pour laisser la terre aux colons européens. Les Métis francophones avaient, eux, des raisons bien plus sérieuses encore de haïr les colons européens. Non seulement ils n'avaient pas de réserves où se réfugier, mais le Gouvernement fédéral leur refusait tout titre de propriété pour les fermes qu'ils avaient bâties de leurs mains et qu'ils habitaient depuis longtemps déjà!

Le père Fafard termina la messe aussi vite que le droit canon le lui permettait, afin de libérer l'assemblée:

— *Ite missa est!* lança-t-il. *Rentrez vite chez vous.*

L'église se vida en un clin d'œil de son assistance indienne. Les prêtres enlevèrent lentement leurs vêtements sacerdotaux, tout en réfléchissant fébrilement sur la conduite à tenir afin de calmer les guerriers. Il fallait éviter de mettre en danger des vies humaines:

— Dépêchez-vous, hurla Petit-Ours, lorsque les prêtres commencèrent à sortir.

— Mais je dois verrouiller l'église, répondit le père Fafard en prenant la clé de métal noir.

Petit-Ours fixa le père avec des yeux pleins de haine. Soudain, la crosse de l'Indien se leva et vint frapper l'arcade sourcilière du prêtre. Le sang jaillit. Louis Goulet, un Métis francophone, sauta sur Petit-Ours.

— Arrête! cria le prêtre. Ils vont tous nous tuer.

Quelques minutes plus tard, le groupe, solidement encadré par les Indiens, tous en état d'ébriété, reçut l'ordre d'Esprit-Errant de se mettre en marche vers le camp de Gros-Ours, situé à 800 mètres de là:

— Nous ne vous ferons aucun mal, promit Esprit-Errant d'une voix hésitante.

Mais Tom Quinn, gérant de la Baie d'Hudson et Agent fédéral des Affaires indiennes, refusa d'avancer:

— Si tu veux rester en vie, tu ferais mieux de te mettre en marche! menaça Esprit-Errant.

— J'en ai marre de toi et de tous tes guerriers. Je ne bouge pas d'ici! répondit Quinn avec un regard plein de colère pour l'Indien.

Les Indiens détestaient cet Agent du Gouvernement qui ne voulait leur accorder l'aide alimentaire de l'État fédéral qu'à condition que la tribu exécutât des travaux jugés humiliants. Ce qui, effectivement, violait l'esprit et la lettre des traités.

Poussé à bout, Esprit-Errant leva sa Winchester et la déchargea à bout portant dans la tête de l'Agent fédéral. Ce dernier tomba raide mort aux pieds du chef qui se mit à exécuter autour du cadavre une danse de guerre en chantant d'une voix grave. La malencontreuse forfanterie de Quinn avait déclenché la violence.

— À mort! À mort! criaient les guerriers.

— Arrêtez immédiatement, hurlait Gros-Ours, le chef suprême, qui venait d'arriver du camp.

Mais les Winchester semblaient partir toutes seules. L'un des premiers à tomber fut John Delaney. Le père Fafard s'agenouilla pour lui porter secours. C'est alors que Cou-Nu déchargea son arme sur le prêtre qui s'écroula comme un pantin désarticulé, mortellement blessé. Marcheur-Céleste, un jeune Cri que le père Fafard avait nourri, logé et baptisé dans la religion catholique, tira une dernière balle dans la tête du missionnaire français.

Les coups partaient de tous côtés. Enivrés par l'alcool, par l'odeur de la poudre et par la violence, les Cris semblaient prendre plaisir à manœuvrer le levier de chargement de leur Winchester et à décharger leur arme. Le père Marchand se précipita en criant vers l'autre prêtre agonisant qui râlait faiblement. Esprit-Errant le foudroya d'une seule cartouche. Le prêtre tomba raide mort, le visage dans la neige fondante.

En fait, peu de Cris se joignirent au massacre. Huit guerriers seulement. Les autres, incapables d'arrêter la violence, se tenaient à l'écart avec des yeux réprobateurs. Neuf Blancs en tout furent massacrés: Thomas Quinn (36 ans), John Gowanlock (29 ans) qui dirigeait une scierie, et William Gilchrist son employé; John Delaney, instructeur agricole du ministère des Affaires indiennes, George Dill, un commerçant, John Willscroft, un mécanicien et Charles Gouin, un charpentier; sans compter les pères Léon Fafard et Félix Marchand. Quant aux épouses Delaney et Gowanlock, elles furent emmenées en captivité. Pour leur sauver la vie et la vertu, deux Métis francophones les échangèrent contre des chevaux aux Indiens quelques jours après.

Cela fait, les tueurs, plus ivres que jamais et accompagnés d'Esprit-Errant, s'abreuvèrent du vin de messe du père Fafard et paradèrent autour de l'église accoutrés de vêtements sacerdotaux.

Le dimanche suivant, ces mêmes guerriers jetèrent le corps des deux missionnaires français dans le soussol de l'église puis incendièrent la bâtisse en bois. Une épaisse fumée blanche s'éleva dans le ciel. Dessoûlés, ils ne cherchaient qu'à dissimuler leurs crimes.

— Regardez là-haut, cria soudain un Indien, comme médusé.

Les guerriers levèrent la tête et se mirent à reculer, remplis d'une crainte superstitieuse. La fumée blanche avait vaguement pris la forme d'un homme à cheval. C'était un signe du Ciel. Bientôt arriveraient des centaines de Blancs à cheval. Ils viendraient venger leurs morts.

Ils ne se trompaient pas.

O

Le temps passa. La Rébellion du Nord-Ouest
fut peu à peu écrasée par la force. Traqués par la
Police Montée, les Cris des Plaines et Esprit-
Errant décidèrent enfin de se constituer prisonniers.
Mais ce chef ne tarda pas à regretter son geste
lorsqu'il se rendit compte qu'il lui faudrait sans
doute expier sur la potence ses crimes de Lac-à-
la-Grenouille. Il tenta alors de s'éviter cette humi-
liation en s'enfonçant un long couteau de chasse
dans la poitrine, mais ne réussit qu'à se blesser
grièvement.

Le 22 septembre 1885 commença son procès à
Fort Battleford. On le jugeait pour le meurtre de
Thomas Quinn, dont les preuves semblaient plus évi-
dentes, et aussi pour avoir été à l'origine du massacre de Lac-à-la-Grenouille.

Il plaida coupable, et le juge Charles Rouleau
prononça enfin la sentence:

«...vous, Esprit-Errant, serez incarcéré dans
les locaux de la Police Montée jusqu'au 27
novembre. Puis, de-là, vous serez mené au lieu
de votre exécution et pendu par le cou jusqu'à
ce que mort s'ensuive. Que Dieu ait pitié de
vous!»

Sept co-accusés subirent aussi le châtiment
suprême: Manichous et Miserable-Man pour le
meurtre de Charles Gouin et de Thomas Quinn;

Cou-Nu pour le meurtre du père Fafard; Napaise et Apischikous pour la mort de George Dill.

Kawichetwaymot, qui avait abattu Willscroft et Gilchrist, avait eu la chance d'être tué par un obus d'artillerie à la bataille de la Butte-aux-Français; quant à Maymayquaysou et Paskouquiyou, les assassins du père Marchand et de John Delaney, ils s'enfuirent dans le Montana pour échapper à la potence canadienne.

O

Le 27 novembre 1885, à Fort-Battleford furent pendus Esprit-Errant, Mise:able-Man, Apischikous, Cou-Nu et trois autres condamnés. Le bourreau était un Anglais de la région. Il s'était porté volontaire car, disait-il, il voulait faire payer à tous ces gens le traitement cruel qu'il avait subi lors de sa captivité à Fort Garry au cours de la première révolte de Louis Riel et des Métis francophones.

«Ce fut une exécution publique, raconta un témoin. L'échafaud était érigé en plein air, dans la cour palissadée qui formait le vieux fort, un banal fort des Prairies, flanqué de bastions aux quatre coins, avec un fossé, de vieux canons de bronze et tout.

«L'échafaud se composait d'une plate-forme d'environ six mètres de hauteur posée sur quatre solides poteaux à chaque coin. Au centre, deux poteaux plus hauts étaient surmontés d'une potence. Ceci avait pour effet de donner une vue complète, sous tous les angles, de tout ce qui se passait, aussi bien sur la plate-forme que dessous.

«Des centaines d'Indiens, venus des nombreuses réserves avoisinant Battleford, avaient été réunis pour assister à l'exécution capitale, et je suis sûr que peu de colons de la région étaient absents.»

«C'était une journée froide et triste, raconta de son côté un gendarme de la Police Montée. La foule restait silencieuse. Composée des amis et des ennemis des condamnés, elle paraissait tendue. Les Blancs avaient tous perdu des amis ou de la parenté[2], et les différentes tribus d'Indiens qui étaient représentées avaient pratiquement été exterminées, de sorte qu'il ne fallait pas chercher de cordialité entre les deux groupes.

«Une force militaire considérable pour cette époque avait été déployée, probablement pour prévenir des troubles. Deux unités complètes de la Police Montée, et une batterie; en tout 350 hommes. Nous formions un carré autour de l'échafaud. Les civils et les Indiens, quoique à l'intérieur de la palissade, ne pouvaient pas serrer les soldats de trop près, mais avaient toute latitude pour observer ce qui allait se passer...

«Nous, les jeunes recrues, écrivit encore le gendarme, étions naturellement curieuses d'étudier les réactions de ces hommes qui faisaient face à une mort certaine et inévitable. Eh bien, ces Indiens ne paraissaient pas prendre tout cela très sérieusement. En fait, certains d'entre eux plaisantaient ouvertement avec nous. Et je sais comme un fait certain que, quelques jours avant son exécution, l'un des Indiens remit au garde un énorme couteau de boucher fort aiguisé qu'il avait fait entrer en fraude dans

---

2.   Durant cette Révolte du Nord-Ouest qui se terminait.

la prison, afin de prouver qu'il avait été en son pouvoir d'éviter la potence s'il en avait eu le désir. Leur attitude fit une grande impression sur nous. Ils me rappelaient des histoires que j'avais lues sur les aristocrates qui, au temps de la Révolution française, étaient allés à la guillotine, avec une suprême indifférence quant à leur sort.

«Dix heures arrivèrent. Nous étions en formation depuis un peu avant 9 heures, et nous avions froid. Une étrange mélopée s'éleva en provenance de la salle des gardes. Deux d'entre nous qui pouvaient regarder dans cette direction virent que les prisonniers s'approchaient. Le chant devint plus appuyé au fur et à mesure que les condamnés sortaient du bâtiment. Leurs voix se fondaient les unes dans les autres.

«Leurs bras étaient liés, mais les chaînes qui les avaient entravés depuis leur arrestation avaient été ôtées. Chaque Indien marchait entre deux gendarmes à la carrure impressionnante. Cela leur laissait peu de chance de s'enfuir.

«Ils paraissaient froids... Ils gravirent les marches qui conduisaient à la plate-forme de l'échafaud et furent placés par le bourreau sous la corde pendante qui attendait chacun d'eux. Le bourreau fixa alors le nœud coulant autour de leur cou. La mélopée de mort continuait. Le prêtre qui les accompagnait priait, mais ils lui accordaient peu d'attention. La cheville qui devait les envoyer dans l'au-delà glissa et les corps tombèrent...

«Comment se fait-il, conclut le gendarme, que les bruits et les odeurs vivent dans notre mémoire, quand les goûts, les sentiments et les images sont oubliés? Je peux encore entendre ce chant de mort et le claquement des corps qui tombent, alors que je peux facilement oublier leur visage.»

10 000 $ par enfant
ou
Un P.-D.G. bien sympathique

Église de Surrey où, chaque semaine, l'assassin venait prier pour que cessent ces disparitions d'enfants.

Photo : Jean-Claude Castex

Quel été inoubliable que celui de 1981! Une chaleur accablante engourdissait Vancouver et sa banlieue Surrey, une ville de 140 000 habitants.

En ce dimanche de juillet, une assemblée de fidèles priait avec ferveur dans une petite église protestante de Surrey-Nord, qui portait le nom presque intraduisible de *People's Full Gospel Church*[1].

Au milieu des fidèles, le pasteur Donald Carmont invoquait le Créateur en ces termes:

— Mon Dieu, nous vous demandons de recevoir en votre paradis ces enfants innocents sauvagement assassinés!

— Amen! répondirent les fidèles.

Le pasteur se tut. Ses yeux fermés jusque-là s'ouvrirent. Dans le silence du sanctuaire, ils se posèrent sur l'affiche collée sur la grande porte de chêne, tout au fond de l'église. Il distinguait les tragiques photos de plusieurs enfants assassinés par un mystérieux psychopathe.

— ...Nous vous demandons aussi d'adoucir, si cela est possible, l'atroce douleur morale des familles de ces jeunes victimes...

— Amen! ajouta l'assemblée.

Les yeux du pasteur ne se refermèrent pas. Son regard parcourait les rangs, passait d'un paroissien à l'autre. La plupart priaient les yeux fermés. De-ci de-

---

1. Cela pourrait signifier approximativement: l'Église de l'Évangile intégral du peuple.

là, une larme brillait comme une pierre précieuse au coin des paupières.

Depuis plusieurs semaines déjà, ces horribles meurtres bouleversaient la population du Canada tout entier. Chaque dimanche, l'affichette à l'entrée des églises et des bâtiments publics montrait une liste plus longue encore des jeunes victimes, garçons et filles.

Les yeux du pasteur continuaient d'errer distraitement sur ses ouailles. Ils se posèrent sur un homme, là, juste devant lui, qui priait les yeux clos; un saint homme que le pasteur venait de marier quelques semaines plus tôt à une jeune et jolie divorcée. Elle attendait un bébé de son concubin, et ce dernier avait tenu à régulariser la situation avant la naissance, de façon à donner son nom à son futur enfant. Un bébé bien sage, d'ailleurs, que sa mère, debout à côté de son mari, tenait tendrement dans ses bras, et qui vagissait doucement. Suivant la tradition familiale, — car on avait conservé quelques traditions dans la famille Olson — on lui avait donné le nom de Clifford; Clifford III puisque c'était la troisième génération de Clifford dans la famille.

— ...Ô Dieu, continua le pasteur en regardant distraitement le papa de Clifford qui priait les yeux fermés. Mon Dieu, donnez des sentiments religieux à celui qui sème tant de désolation. Mon Dieu, arrêtez sa main criminelle.

— Amen! répondit l'homme aux paupières closes, en même temps que l'assemblée tout entière.

Ah! Si ce bon pasteur avait su que l'assassin possédait des sentiments on ne peut plus religieux, et que c'était justement ce paroissien, là-bas, qui priait avec tant de conviction, il n'aurait certainement pas cru qu'il fut possible qu'un P.-D.G. si sympathique puisse être le maniaque recherché par toutes les polices du Canada!

○

La petite Christine Weller, jeune Québécoise de 12 ans, n'avait jamais eu de chance dans la vie. Elle vivait misérablement au Motel Bonanza, dans l'avenue King George. Ses parents, Rollie et Rick, n'avaient pas les moyens de louer un appartement en ville. Ils devaient se contenter d'une chambre d'hôtel de quatrième catégorie. Découragés par leur interminable quête d'emploi, toujours infructueuse, ils passaient maintenant leurs journées à espérer, devant leur téléviseur. Ils vidaient d'innombrables bouteilles de bière. Christine n'avait aucune envie de rentrer chez elle, dans ce demi-taudis habité par le désespoir du chômage. Aussi, dès la sortie de l'école, errait-elle dans les rues de Surrey. Elle recherchait l'amitié des garçons comme une drogue. Ses parents avaient bien d'autres préoccupations que de se soucier d'elle. Son tout nouvel ami, Clive Walker, habitait à quelques kilomètres de là. Elle aimait bien sa timidité, propre aux garçons de son âge. Elle s'amusait parfois à le faire rougir ou à l'embarrasser; comme lorsqu'elle avait volé un pantalon de prix dans un magasin du Centre commercial de Surrey Place. Elle adorait faire du lèche-vitrine et, en ce fatal après-midi du 17 novembre 1980, peu avant 17 heures, elle s'empressait de retourner chez Clive, afin de lui emprunter sa bicyclette. Elle voulait rentrer chez elle à temps pour le repas du soir, seule obligation que son père lui imposait encore. Son ami hésita à lui prêter sa toute nouvelle bicyclette. Mais elle insista tellement, qu'il finit par accepter. Dieu merci, elle serait de retour assez tôt au Motel Bonanza.

Ce soir-là, Christine n'arriva pas chez elle. Ses parents ne déposèrent même pas une demande de recherche. Ils pensaient qu'elle avait décidé d'habiter avec son nouvel ami. Une semaine après, lorsque le père de Clive fit sa petite enquête pour retrouver la coûteuse bicyclette de son fils, Mme Weller «n'avait pas encore déclaré la disparition de sa fillette aux autorités. Elle comptait le faire aujourd'hui même, mais elle avait oublié.» (sic!) M. Walker eut alors la désagréable impression qu'un malheur était arrivé. Il téléphona au commissariat. Les gendarmes, croyant à une fugue, refusèrent de procéder à des recherches. N'avait-elle pas déjà fait plusieurs escapades? La seule façon de la faire rechercher était de porter plainte contre elle pour le vol de la bicyclette. M. Walker refusa tout net. Il ne voulait pas ajouter aux problèmes de la pauvre enfant.

Pourtant il n'en continua pas moins ses recherches personnelles jusqu'au moment où la Police Montée, ainsi talonnée, se sentit contrainte d'ouvrir sa propre enquête de routine. Les Weller s'obstinaient à prétendre — sans doute pour excuser leur indifférence — que leur fille habitait chez son ami; ce que M. Walker, le père de cet «ami», démentait avec force. Les policiers montrèrent au gérant du Motel Bonanza trois photos de criminels, pour le cas où il aurait aperçu l'un d'eux entrer en contact avec Christine. L'un des trois n'habitait qu'à quelques centaines de mètres du Motel Bonanza, mais Bill Daly, le gérant, ne l'avait jamais remarqué. Il s'appelait... Clifford Robert Olson.

Le jour de Noël, un homme promenait son chien sur une digue des polders de Richmond, ville de la banlieue de Vancouver. L'animal se mit soudain à aboyer en direction d'un fourré. Le promeneur jeta un coup d'œil inquisiteur à travers les branches sans feuilles et aperçut le corps nu et atrocement mutilé d'une fillette. C'était le cadavre de Christine Weller. En violant l'enfant, ou après l'avoir violée, l'assassin avait perforé son corps chétif de 19 coups de couteau.

Quelques jours après fut retrouvée la bicyclette empruntée par la fillette. Elle n'avait pas la moindre éraflure. On l'avait abandonnée derrière l'hôpital vétérinaire de Surrey, juste en face du grand immeuble à appartements où habitait Clifford Olson.

O

Cet homme, qui inaugurait par ce crime horrible sa longue série d'assassinats d'enfants, allait ensanglanter la région du Grand-Vancouver pendant près de neuf mois et jeter la panique au sein de la population.

Mais par quel processus psychologique cet être de 42 ans avait-il subitement chaviré dans sa folie bestiale?

En fait, ce naufrage dans le crime sexuel n'avait pas été le fruit d'une génération spontanée, mais plutôt le résultat d'une longue déchéance psychologique.

Né le 1er janvier 1940, à Vancouver, Clifford Olson avait fait la manchette des journaux canadiens dès le premier jour de sa vie. La presse canadienne célébra la naissance de Clifford comme celle du premier bébé de l'année 1940 en Colombie-Britannique. Si son père avait pu deviner l'avenir, il n'aurait certes pas autant apprécié cet avènement.

Au fil des ans, deux frères et une sœur étaient venus se joindre à cette famille fort pauvre. Le père travaillait à Richmond, ville-polder de la banlieue-sud. Les enfants Olson passaient leurs loisirs à courir sur les digues et dans les bosquets. Ce fut dans cette région de son enfance dont il connaissait toutes les ornières, qu'il alla enterrer sa première victime, la petite Christine Weller.

Occupés à travailler dur afin de faire vivre leurs quatre enfants, les parents Olson laissaient ceux-ci sans grande surveillance. Clifford, l'aîné, se fit rapidement une double réputation: mauvais garçon, brutal et tyrannique avec les faibles, il devenait agréable et extrêmement poli avec les adultes.

À l'âge de 16 ans, il s'absenta de l'école pendant six mois. Ses parents annoncèrent à la cantonade qu'il avait trouvé un travail dans la ville voisine. En fait, il effectuait un séjour forcé dans un centre de redressement pour plusieurs vols et cambriolages.

La nature avait fait de lui un enfant solide et résistant, capable de mener la vie dure aux camarades de son âge. Mais, devenu adolescent, il vit avec désespoir que tous ses souffre-douleur grandissaient plus vite que lui. Son propre développement physiologique ne se fit que lentement. La Nature trop parcimonieuse ne lui accorda qu'une taille fort modeste de 1,67 m. Ce qui, au Canada anglais, classe un homme chez les petits.

Ce fut alors son tour de subir les humiliations de la part de tous ceux qu'il avait tyrannisés durant des années. Mais Clifford ne se plia pas aux décisions de cette avaricieuse nature.

— Papa, j'ai décidé de faire de la boxe, annonça-t-il un jour en rentrant chez lui avec des ecchymoses sur tout le corps.

Ce fut la seule réussite de sa vie. Fortement motivé par le désir de s'accorder une revanche, il devint rapidement un excellent boxeur; à tel point qu'il finit par remporter le Gant de Bronze régional, et un trophée spécial pour avoir montré «le meilleur esprit sportif».

Mais la plus grande satisfaction qu'il tira de son Gant de Bronze fut de rétablir l'ordre des choses qu'il jugeait seul acceptable. Il reprenait sa place de tortionnaire et les autres celles de souffre-douleur. Il effectua la «tournée des anciens camarades» pour leur annoncer la «bonne nouvelle» en brisant la mâchoire ou le nez de ceux qui en doutaient.

À partir de 1957, et pendant deux étés consécutifs, il travailla dans un haras de Vancouver. Mais un vol de chèques entraîna sa mise à la porte. Après un cambriolage avec effraction, il purgea sa première peine de neuf mois de prison. À peine sorti, et devenu employé de scierie, il récidiva et retourna derrière les barreaux. Il en fut ainsi après chaque libération.

À 25 ans, il s'enfuit de l'hôpital Shaughnessy où il avait réussi à se faire hospitaliser par les services pénitentiaires. Ce fut la première de ses cinq évasions.

En prison, Olson se comportait toujours en détenu modèle. Il n'hésitait pas à dénoncer ses co-détenus, afin de bénéficier des faveurs de l'administration et des libérations anticipées. Il se vantait bien d'être le P.-D.G. de grosses affaires commerciales et de posséder de nombreuses propriétés, mais sa faconde et sa politesse le faisaient apprécier des gardiens et des cadres. Par contre, sa manie de servir de «mouton» volontaire lui attirait l'antipathie des détenus. Il passait pour un bon mari, car il écrivait trois ou quatre fois par semaine à celle qui partageait ses courts instants de liberté, et dont il portait en permanence la photo imprimée sur son T-shirt.

Un jour, un trafiquant de drogue, accusé de viols multiples, lui décrivit en détails la facilité avec laquelle les femmes se laissent violer «et même, souvent, coopèrent»:

— Tu les culbutes et tu les sautes sans problème. Elles ne protestent pratiquement pas!

Ce fut une révélation pour lui.

À une autre occasion, un dément[2] lui expliqua comment il avait violé, puis étouffé et mutilé une fillette de neuf ans, Jeanne Doove, dont le corps martyrisé fut retrouvé le 1er juillet 1976 à Mission[3]. Le petit corps pendait d'un arbre, au bout d'une corde.

Marcoux refusait d'avouer son crime. Olson devint tout à coup une vedette en acceptant d'arracher des aveux au violeur d'enfant. Il fut enfermé dans la cellule de l'assassin, se fit décrire les différentes tortures que le maniaque avait infligées. Il lui fit même tracer un plan des lieux avec de nombreuses explications écrites. Ces révélations permirent la condamnation du coupable.

Mais ces descriptions détaillées provoquèrent dans son esprit vulnérable des orientations nouvelles. Olson adopta si bien la personnalité de Marcoux qu'il alla torturer l'une de ses propres victimes sur les lieux d'exécution de la petite Doove.

---

2. Nommé Marcoux.
3. Ville située à 50 km à l'est de Vancouver.

Tout au long de son existence, donc, ses délits progressèrent du simple chapardage jusqu'aux supplices d'enfants et d'adolescents. Il passa successivement du vol simple à la fraude à l'esbroufe; du cambriolage au vol à main armée; puis le voyeurisme fut suivi d'assauts indécents, de viols et enfin d'assassinats d'enfants avec tortures et sévices divers.

En 1980, les autorités de la vieille prison de New-Westminster organisèrent une «Journée Porte-Ouverte». Le Ministre fédéral de la Justice avait décidé de fermer l'établissement trop vétuste après 102 ans de service. Prétendre que les autorités s'attendaient à une arrivée massive d'anciens «pensionnaires» nostalgiques serait peut-être un peu exagéré. Pourtant il en vint. Il serait intéressant de faire la psychanalyse du comportement de certains mauvais garçons qui, à peine libérés, font tout pour revenir au plus vite derrière les barreaux. C'est le seul endroit au monde qui tienne à les garder, qui leur donne une certaine sécurité, et ils deviennent vraiment dépendants de cette drogue. Certains semblent éprouver le sentiment que les libérations ne sont que des vacances provisoires, mais que leur place normale est en détention.

En dépit de ses nombreuses années d'internement, Olson, qui se trouvait à ce moment-là en liberté, décida d'effectuer à New-Westminster une petite visite sentimentale. Mais il allait vite se rendre compte que, pour lui, la «porte ouverte» ne l'était que dans un sens. Il ignorait en effet que sa photo ornait tous les commissariats du Canada à côté d'autres individus sur lesquels pesait un avis de recherche. Lorsqu'il pénétra dans la cellule vide qu'il avait quittée en 1978 après y avoir séjourné durant près de cinq ans, il fut reconnu par l'un des gardiens souriants qui servaient de guides complaisants. Aussi, quelle ne fut pas sa surprise, alors qu'il rêvassait, assis sur le bas-flanc de sa cellule, d'entendre le claquement familier de la porte et le cliquetis de la serrure. Il fut immédiatement arrêté et transféré à la prison de Matsqui, afin d'y purger un mois de détention supplémentaire.

En août 1980, enfin libéré, il loua un appartement à Surrey, au 9835, King Georges Highway où il emménagea avec sa compagne, Joan Hale, qui venait de divorcer d'un certain Berryman.

Décidé à poursuivre sa «carrière de P.-D.G.», à laquelle il devait lui-même commencer à croire, il essaya de lancer une entreprise de construction. Il se fit imprimer de luxueuses cartes d'affaires qui le décrivaient, lui-même, comme un brillant et prospère P.-D.G. Il accorda à son beau-frère, Michael Hale, la vice-présidence. Quant à sa femme, Joan, elle devait plus modestement se contenter du titre de secrétaire. Sa femme bien-aimée tenait un rôle; même dans l'escroquerie.

Toujours tiré à quatre épingles et doué de réelles qualités d'expression oratoire, Cliff Olson apparaissait alors comme le prototype du jeune cadre décidé à percer. Il réussissait à se forger une nouvelle vie rangée et respectable. C'est dans ce but, qu'il se maria le, 15 mai, en l'église *People's Full Gospel* de Surrey-Nord, au moment de la naissance de son fils, Clifford III. Il ne manquait jamais l'office protestant du dimanche et aimait à dire à ses nouveaux coreligionnaires comment il avait «retrouvé Dieu». Chez lui, une Bible trônait ostensiblement et en permanence sur le guéridon du salon. La pratique religieuse allait de pair, dans son esprit, avec un certain standing social.

Sa voisine du dessous le décrit encore aujour-
d'hui comme un homme un peu vantard, «mais très
bon avec les enfants»:
— Il donnait toujours des bonbons et toutes sortes
de choses à mes deux petits de deux et quatre ans.
À n'en pas douter, il aimait les enfants!

O

Les descriptions libidineuses des viols, perpétrés
par ses co-détenus sur des femmes et des fillettes,
avaient fait leur travail de termite dans son cerveau
malade. À Noël 1980, les journaux relatèrent en
entrefilet la disparition de la jeune Christine Weller.
Le drame ne fit pas couler beaucoup d'encre. De nos
jours, les fugues se multiplient dans ces régions où
les familles désunies ne constituent plus des havres
de paix et d'amour pour les enfants.
Ce meurtre semble avoir calmé pour un temps les
sens d'Olson. Il reprit sa paisible vie, partagé entre
sa famille, son église et sa vie d'entrepreneur en
construction.
Mais les premières douceurs printanières n'allaient pas tarder à répandre dans son corps de dangereuses hormones. En quelques semaines, plusieurs enfants disparurent dans la banlieue sud-est
de Vancouver. D'abord, ce fut Sandra Johnsrude (16
ans), de Saskatoon, en visite chez des amis de la
région. La jeune Ada Court, 13 ans, de Burnaby,
tomba elle-aussi entre ses mains pour y subir la torture et la mort.
Une véritable frénésie avait saisi l'assassin. Il
passait désormais son temps au volant de voitures

louées, à parcourir les artères de la grande agglomération à la recherche de jeunes auto-stoppeurs des deux sexes. Il les droguait, les emmenait dans des endroits isolés pour les violer sous la torture; puis il les étranglait ou les poignardait. Après avoir relégué la dépouille rompue dans le coffre de sa voiture, il allait l'enterrer dans un bois éloigné de toute habitation. Il ensevelissait parfois ses victimes sur place lorsqu'il jugeait l'opération peu dangereuse.

○

Le 16 avril 1981, moins d'une semaine après la naissance de Clifford III, il se lançait à nouveau en chasse pour trouver une proie fraîche qui satisferait ses sens malades. Au volant d'une voiture de location toute neuve, il draguait vers 13 heures les rues de North-Delta, lorsqu'il aperçut une proie potentielle debout devant un arrêt de bus. Colleen Daignault était une jolie fillette de 13 ans. Elle affichait un air gavroche avec ses longs cheveux bruns, ses blue-jeans décolorés, sa veste rouge et blanche, et ses souliers de tennis usés. Une grande timidité atténuait son aspect un peu galopin. Comme toutes les autres victimes de ce psychopathe, elle provenait d'une famille désunie. Elle vivait chez sa grand-mère à Surrey, tandis que son père habitait Regina (Saskatchewan). Elle avait profité des vacances de Pâques pour aller passer la nuit chez l'une de ses amies. Au Canada anglais les jeunes adolescents organisent souvent ce genre de *sleep over*, afin d'échapper à la surveillance de leurs parents. Olson arrêta la voiture devant elle, baissa la vitre et lui proposa de monter.

Devant le refus de la jeune fille, il lui demanda où elle allait:

— Je rentre chez ma grand-mère à Surrey.

— C'est justement là que je vais. N'ayez pas peur. Je suis un homme d'affaires; vous ne risquez rien avec moi. Tenez, regardez ma carte.

Il tendit une impressionnante carte d'affaires imprimée en relief. Colleen se décida alors à s'installer dans la voiture. Clifford continua d'appâter l'enfant par des promesses mirifiques:

— Vous ne seriez pas intéressée à travailler pour moi, par hasard. J'ai une grosse compagnie et j'ai un urgent besoin de jeunes comme vous. Je paye 10 $ de l'heure pour nettoyer des vitres.

Évidemment cette proposition avait le don d'enthousiasmer ses futures victimes. Il offrait alors un soda à l'enfant, en général un Coca-Cola, pour arroser la conclusion du «contrat de travail». Si la victime s'étonnait du goût bizarre, il expliquait qu'il y avait ajouté un petit excitant. Colleen se sentit bientôt envahie par une légère somnolence qui la libérait de l'espèce de crainte qu'elle avait ressentie malgré la gentillesse de ce Président-directeur général.

Minuit avait sonné depuis plusieurs minutes à la célèbre horloge à vapeur de Vancouver. Colleen sentait que la voiture roulait dans un chemin défoncé. Elle ouvrit les yeux et dans un rêve vit défiler des arbres devant les vitres. La voiture s'était engagée dans un sentier forestier. Colleen commença à avoir peur, essaya de réagir, de bouger, mais, comme dans les cauchemars d'horreur, son corps ne répondait plus à sa volonté. Ses membres mous n'obéissaient plus aux commandes de son cerveau engourdi par la drogue. La voiture s'arrêta enfin au milieu d'une dense forêt dans le sud de Surrey, tout près de la

frontière américaine. Le sadique lui ordonna sèche-
ment de descendre et de se coucher à même le sol.
Elle poussa un hurlement de terreur. Il la projeta
alors contre un arbre afin de la faire taire. Tirant un
couteau de sa poche, il commença à couper le chemisier et le soutien-gorge de la fillette muette d'épou-
vante. Puis il la viola. Après quoi, voyant qu'il retour-
nait à la voiture, elle essaya de profiter de l'occasion
pour tenter de s'enfuir. Elle rampa vers un arbre,
mais il eut tôt fait de revenir armé d'un marteau. Il lui
défonça le corps et la tête, afin de la rendre méconnaissable. Lorsque l'immobilité de Colleen indiqua
qu'elle avait bien cessé de vivre et de souffrir, il re-
couvrit le corps de quelques branches, sauta au
volant de sa voiture et remonta King George Highway jusque chez lui.

Après une bonne douche, l'assassin enfouit ses
vêtements sales dans un sac destiné au lavage. Il
pensa aussi qu'il devait faire nettoyer la voiture avant
de la reconduire au garage de location.

Le lendemain, dimanche de Pâques, il se rendit
avec sa famille à son église *People's Full Gospel*,
située dans la 108e Avenue.

La disparition de Colleen Daignault fut rapportée
trois jours après à la Police Montée. L'affaire fut immédiatement classée sur l'étagère poussiéreuse des
dossiers «en attente», réservée aux fugueuses. Les
gendarmes n'avaient pas les moyens de rechercher
les 300 fugueurs annuels de la région de Vancouver.
Comme une tante de Colleen, Mme Gail Smith har-
celait le commissariat central de Surrey afin qu'il pro-
cédât à une enquête, le commandant émit un com-
muniqué le 11 août affirmant qu'il « y aurait quelques
indications qui laisseraient croire que la fillette fu-
gueuse avait été aperçue dans la région de Regina

où elle serait allée rendre visite à son père.» Étrange déclaration uniquement destinée à apaiser les critiques.

Des enfants retrouvèrent les ossements et le crâne de Colleen sur les lieux mêmes du crime[4]. La chair avait été dévorée par des animaux sauvages. Seules les empreintes dentaires purent identifier les restes de la pauvre victime. La tante et Coreen, la soeur de Colleen vinrent reconnaître les vêtements abandonnés sur les lieux: le soutien-gorge section- né, le T-shirt, et les tennis. En voyant ces objets qui effaçaient à jamais tout espoir de retrouver sa soeur vivante, Correen sombra dans une véritable crise d'hystérie.

O

Le 21 avril, cinq jours seulement après la dispari- tion de Colleen, l'assassin, avide de nouveautés, jeta son dévolu sur un garçon de 16 ans: Daryn Todd Johnsrude. De toute évidence, l'orientation sexuelle du dément n'était pas fixée.

L'adolescent passait les vacances avec sa mère, Sharon Rosenfeld, divorcée d'un mari resté en Sas- katchewan. Elle avait payé le voyage à son fils afin de l'avoir quelques jours auprès d'elle. Elle habitait à Coquitlam, à 200 m du complexe résidentiel où l'as- sassin venait d'emménager avec sa petite famille. Daryn était venu au Centre commercial Burquitlam Plaza, afin d'y acheter des cigarettes. On retrouva son corps le 2 mai, près d'une digue du fleuve

---

4. Cette forêt se trouve à l'est de la 144e Rue, tout près de la 26e Avenue.

Fraser, à Deroche[5]. Olson avait drogué le jeune garçon de 45 kg, puis l'avait violé. Après quoi, il l'avait tué à coups de matraque.

En tentant de trouver un raccourci afin d'éviter, par prudence, l'itinéraire par lequel il était arrivé avec sa victime, l'assassin s'engagea dans des chemins creux extrêmement boueux. Sa voiture s'enlisa. Cela lui était déjà arrivé à Richmond, lorsqu'il avait assassiné Christine Weller. Dans les deux cas, une chance démoniaque lui avait souri en même temps qu'elle avait fait une horrible grimace aux victimes à venir. Quoique en état d'ébriété, le maniaque avait réussi à trouver de l'aide dans les parages. Un cultivateur assez serviable remorqua sa voiture jusqu'à la route. Ce ne fut que des mois après, lorsque les cadavres des enfants eurent été retrouvés, que les bons Samaritains se rappelèrent l'incident et le rapportèrent à la police.

O

Quatre jours après le mariage de l'assassin qui eut lieu le 15 mai, une jolie brune aux yeux noisette, Sandra Wolfsteiner, 16 ans, de Langley[6], vint à Surrey chez son petit ami, Keith Rickey. La mère de Keith lui apprit que son fils travaillait dans un garage à quelques kilomètres de là:

— Tiens, puisque vous voulez le rejoindre en auto-stop, je vais vous donner son repas froid.

---

5. Deroche est situé à 10 km à l'est de Mission, dans la vallée du Fraser.
6. Ville de la grande banlieue.

Toute contente, Sandra prit congé de Mme Rickey qui regarda l'adolescente s'installer devant la maison, le long du Fraser Highway, afin de faire de l'auto-stop. Il était 11 h 30. Une Ford Granada gris-argent s'arrêta presque immédiatement. Au volant, Cliff Olson souriait agréablement. Le sort de la jeune fille était désormais scellé. Un ami de Keith aperçut l'adolescente à la Banque Royale de Langley quelques minutes après. Elle venait retirer tout son argent et fermer son compte. À la vue de l'ami de son fiancé, la jeune fille lui lança, toute heureuse, qu'on venait de lui offrir un emploi à 13 $ de l'heure.

— Je vais même conduire une Trans-Am! lança-t-elle folle de joie.

Son squelette fut découvert en septembre près de Chilliwack, au pied des Rocheuses. Le rêve de Trans-Am s'était terminé au fond d'un sombre bois.

○

Donald Court habitait lui aussi à Burnaby, dans le même ensemble résidentiel que Clifford Olson[7]. Comme il voulait faire garder ses deux fillettes, il fit venir, comme à l'accoutumée, sa sœur Ada, âgée de 13 ans. L'adolescente aux yeux pers passa donc le samedi 20 juin à surveiller ses nièces en regardant la télévision. Le dimanche matin, elle quitta l'appartement de son frère et se posta à l'arrêt de bus situé juste en face de l'ensemble résidentiel. Elle portait une marinière multicolore.

7. 550, avenue Cottonwood.

Le même soir, vers 20 heures, Jim Parenteau, contremaître de camp forestier, conduisait sa voiture à travers les chemins creux du lac Weaver. Soudain, au tournant d'un sentier, il tomba sur une camionnette noire en stationnement. Tout à côté, un homme était penché au dessus d'une fille vêtue d'une marinière multicolore. Pensant que l'inconnu avait peut-être un problème, Parenteau s'arrêta, descendit de voiture et lui demanda s'il avait besoin d'aide. L'assassin se tourna vers lui et le fixa sans répondre. Parenteau comprit qu'il se passait quelque chose d'anormal. Il se précipita au volant de sa Ford LTD, lança le moteur et démarra pour s'éloigner au plus vite de ce spectacle inquiétant. Quelques minutes plus tard, il se rendit compte que la camionnette noire le poursuivait. Il avait beau accélérer, le véhicule le serrait de près comme une ombre menaçante dans ce chemin forestier. La poursuite atteignait des vitesses dangereuses et les deux véhicules bondissaient d'une ornière à l'autre. Si l'inconnu le rattrapait, son compte était bon, car il n'avait aucune arme pour se défendre. Finalement, à son grand soulagement le bûcheron atteignit son camp forestier de la Rivière-à-l'Aigle et Olson fit rapidement demi-tour pour s'enfuir. Ce ne fut qu'un ou deux mois plus tard, que le bûcheron se décida à rapporter cet incident à la police. Comme Olson était déjà sous les verrous, aucune suite ne fut donnée à la déposition, et le cadavre de la jeune Ada Court, à demi-dévoré par les animaux sauvages, resta encore une semaine dans l'herbe moite. Les ossements purent être identifiés grâce à la dentition.

○

Le 2 juillet de la même année, disparaissait le petit Simon Partington, de Surrey, premier enfant qui ne provenait pas d'une famille brisée. Le sacrifice de ce jeune de 9 ans «au visage d'ange» réussit enfin à convaincre la Police Montée que toutes ces disparitions successives devaient être considérées comme des enlèvements et non comme de simples fugues. Simon n'avait pas encore l'âge de prendre la clé des champs et il provenait d'une famille catholique traditionnelle, solidement unie par l'amour et par le sens du devoir. La Police Montée, enfin sur les dents, se mit à remuer ciel et terre, car ce dernier crime avait déclenché une véritable peur panique à travers tout le delta du Fraser. La chasse à l'homme qui s'ensuivit regroupa plus de 200 policiers à certains moments. Mais le psychopathe semblait insaisissable.

Le petit Simon habitait dans la 96ᵉ avenue, à Surrey. Ce fatal jeudi, vers 10 h 30, il sauta sur sa bicyclette pour aller rendre visite à son ami Steve Jones, dans la 128ᵉ avenue, cinq pâtés de maisons plus loin. Il devait passer la journée chez les Jones. Il n'arriva jamais à destination. Sa bicyclette fut retrouvée, le lendemain, appuyée contre une clôture située derrière une banque Toronto-Dominion.

La population du Grand-Vancouver fut profondément émue par l'image de Stephen Partington, 34 ans, père de Simon. Il apparut sur les petits écrans, mal rasé et les yeux gonflés par l'insomnie, pour implorer le kidnappeur de lui rendre son enfant.

Des affichettes regroupant les photos de toutes les victimes commencèrent à circuler et à consteller les vitrines des magasins et les portes des églises de toutes dénominations religieuses. Le commissariat de Surrey de la Police Montée fut assailli de coups de téléphone de personnes qui croyaient avoir aperçu le maniaque. Une prime de 5000 $ fut promise à celui qui permettrait son arrestation.

Alors que les uns se désespéraient, d'autres essayaient de tirer parti de leur malheur. Une vendeuse de *fish and chips* jura «avoir aperçu Simon avec un homme de 40 ans, divinement beau[8], blond et bronzé, avec la poitrine velue». De toute évidence elle fantasmait en le décrivant aux journalistes. La Police Montée perdit, à cause d'elle, un temps précieux à rechercher un adonis aux cheveux d'or, alors que le maniaque avait le poil anthracite. Toutes les chaînes retransmirent l'interview de la vendeuse, ravie de faire la une des journaux.

D'autres essayèrent de se faire verser une rançon, «sans quoi l'enfant serait massacré». Les autorités demandèrent à Stephen Partington de déposer l'argent derrière un poteau électrique situé à l'intersection de la 152e Rue et de Fraser Highway. Un jeune voyou, Richard Hong, 17 ans, fut capturé alors qu'il venait ramasser le butin.

Daniel Dumoulin, un des loueurs de voiture, chez qui Cliff Olson allait chercher ses véhicules, raconta par la suite qu'il avait, à la longue, été pris de soupçons. Il croyait avoir affaire à un trafiquant de drogues. Il lança un jour à l'assassin:

— Je connais votre secret....

Celui-ci se garda bien de revenir chez ce loueur.

La population de Surrey et de Vancouver était en état de choc. En fait, le seul qui gardait son sang-froid était le maniaque lui-même. Imperturbable, il continuait de ratisser systématiquement les rues de

---

8. Traduction plus raffinée que l'original: *bloody gorgeous man.*

la vaste agglomération canadienne pour se procurer de nouvelles proies qui assouviraient sa sexualité démente de plus en plus exigeante.

○

Le 7 juillet, cinq jours à peine après avoir martyrisé le petit Simon, il ramassa une adolescente de 16 ans nommée Sarah Dee. Elle jouait dans une «arcade» du centre commercial Lougheed Mall. Par chance, son petit ami l'accompagnait. Olson proposa à Sarah un emploi à 10 $ de l'heure et s'arrangea pour se débarrasser de l'ami. Ceci fait, il conduisit Sarah dans un terrain isolé et tenta de la violer après l'avoir enivrée. Elle se défendit, et grâce au fait qu'il pouvait être identifié par l'ami de Sarah, il réussit à dominer ses instincts malsains et laissa repartir l'adolescente saine et sauve. Afin de se protéger contre toute poursuite pour cette tentative de viol, le rusé Olson retourna au centre commercial et déclara au propriétaire de la salle de jeux d'arcade, où il avait ramassé Sarah et son ami, qu'elle avait tenté de lui dérober 50 $.

Sarah porta effectivement plainte. Olson fut convoqué devant un tribunal, accusé d'assaut indécent et... relâché, pour insuffisance de preuves. Qu'est-ce qui prouvait que la «petite voleuse» n'avait pas inventé la tentative de viol pour contrebalancer sa mauvaise action?

Deux jours après ce coup fourré, Olson, au volant d'une nouvelle Ford Escort bleue de location, écumait de nouveau les rues.

Cette fois, il draguait en compagnie d'un ami, le beau Randy Ludlow, 18 ans. Au nom de sa compagnie fictive, il avait embauché ce jeune bon à rien, dont les seules lettres de créance se fondaient sur un casier judiciaire assez chargé.

Ils aperçurent une jeune fille debout devant un arrêt de bus[9].

Ce jour-là, Judy Kozma cherchait désespérément un second emploi qui lui permettrait de vivre plus décemment. Elle se rendait à une entrevue avec le gérant d'un restaurant. Dès qu'il connut l'objet de ses recherches le tueur à la voix si douce et si convaincante — une de ces voix «qui ne mentent pas» — lui proposa un emploi à 10 $ de l'heure, un appât qui ne pouvait manquer de ferrer la prise. Folle de joie, Judy pensa immédiatement avoir trouvé son Destin. C'était malheureusement le cas.

Quelques minutes plus tard, le «patron» ordonna à Ludlow de rentrer en stop. Il tenait à rester seul avec l'adolescente. Soudain inquiète, cette dernière annonça qu'elle aussi voulait être déposée sur le trottoir. Mais avant de descendre, Ludlow la rassura totalement. Il ne savait pas qu'ainsi il la condamnait à une mort atroce:

— Ne vous en faites pas, Judy, le patron va vous conduire directement au travail. Ayez confiance. Je vous réponds de lui.

La timide Judy Kozma partit donc rassurée en compagnie de son bourreau. Son corps supplicié fut retrouvé le 25 juillet dans un bois situé près du lac Weaver, non loin de deux autres cadavres d'enfants. Afin de revivre les horribles péripéties de ce crime, le maniaque enregistra les gémissements de la pauvre enfant sur bande magnétique pendant qu'il la violait et la dépeçait. Le corps fut retrouvé coupé en

---

9. Judy Kozma, 18 ans.

morceaux au couteau. Les policiers n'ont jamais voulu révéler à cette famille d'immigrants hongrois comment leur fille était morte.

Après l'avoir tuée sous la torture, Olson chercha dans le sac à main et trouva son carnet d'adresses. Quatre jours après sa disparition, à 1 h 30 du matin, la concierge des blocs appartements où habitaient les Kozma fut réveillée par un coup de téléphone qui lui fit entendre les cris d'agonie de la pauvre disparue. Les Kozma venaient d'emménager dans cette cité et n'avaient pas encore le téléphone. Heureusement pour eux; ils auraient reçu l'appel eux-mêmes. Les amies de la petite Judy furent aussi harcelées d'appels pornographiques et de menaces. Les filles ont coutume d'échanger leurs photos d'identité. Savoir que le maniaque avait trouvé leur photo dans les objets personnels de Judy ne manquait pas d'aggraver leur frayeur. Quelques jours après, l'une d'elles aperçut même le tueur. Elle discutait avec un ami dans le hall de l'immeuble, lorsqu'elle vit un homme entrer, observer longuement les noms sur les boîtes à lettres et, après quelque hésitation, repartir.

À la suite de l'arrestation d'Olson, elle reconnut le visiteur du hall. Son image était restée gravée dans son esprit terrorisé.

○

Vers le début du mois de juillet, la Police Montée commença à soupçonner Olson. Mais au moment où elle voulut le placer sous surveillance intermittente, il sembla se volatiliser dans l'espace. De fait, le 10 juillet il était parti avec sa famille afin de passer quelques jours en Californie. A-t-il tué des enfants aux États-Unis? Nul ne le sut. Le nombre de crimes de sang est tel dans ce pays que les multiples corps policiers, qui travaillent souvent les uns contre les autres, furent incapables de l'affirmer[10]. Il ne devait en revenir que le 21 du même mois, donnant ainsi à la Police Montée le temps de souffler. À son retour, il loua une autre Ford Escort et reprit immédiatement ses recherches dans les rues du Grand-Vancouver.

En ce bel après-midi du 23 juillet, Raymond King, 15 ans, de New-Westminster, pensait qu'il lui fallait absolument trouver un emploi d'été s'il voulait gagner un peu d'argent de poche. Il pédalait donc vers le Bureau fédéral de Placement sans savoir qu'un hasard malveillant conduisait aussi la voiture du maniaque vers ces mêmes lieux. On vit Raymond enchaîner sa bicyclette devant l'immeuble fédéral; puis, plus rien. Quoique provenant d'une famille désunie, le jeune King ne pouvait être considéré comme un fugueur car «il avait abandonné sa bicyclette[11]». La police mena donc rondement l'enquête. C'était un jeudi, jour où, pour des raisons mystérieuses, Olson perpétra la plupart de ses crimes.

À 19 h 30, le forfait commis, Olson rentra chez lui au volant de sa Ford Escort marron, embrassa sa femme, joua un instant avec son fils chéri, puis se déshabilla pour prendre une douche. Il avait à peine

---

10. Il y eut, cette année-là, plus de 20 000 assassinats et meurtres aux États-Unis contre seulement 600 au Canada. Si les chiffres avaient été proportionnels, les États-Unis n'auraient dû avoir que 6000 victimes. En 1988, il n'y eut que 565 homicides au Canada.
11. Selon les gendarmes, les fugueurs vendent leur bicyclette, la laissent chez eux ou la donnent à des amis, mais ils ne l'abandonnent jamais avec un anti-vol.

disparu derrière le rideau, que la sonnette se fit entendre. Sa femme ouvrit la porte à un policier de Delta qui venait renouer les contacts avec le mauvais garçon afin de mieux le tenir à l'œil. À plusieurs reprises Olson avait servi d'indicateur au gendarme Tarr. Il sortit enfin de sa douche, le corps totalement rasé, et vint s'installer au salon pour discuter avec le visiteur. Ce dernier lui déclara qu'il s'intéressait aux cambriolages, aux vols simples, à la drogue, et aussi, «si nécessaire, aux homicides». Olson prit alors un journal qui traînait sur un guéridon à côté de sa grosse Bible rouge et montra l'article qui traitait de la disparition du petit Simon Partington «au visage d'ange»:

— Cette vendeuse de *fish and chips* raconte des conneries avec son beau blond. À mon avis, Partington s'est fait cueillir par un pervers, affirma Olson d'un air sûr de lui.

Oh, combien sûr!

O

De fait, la perversion du maniaque s'aggravait chaque jour. Ce n'était déjà plus une semaine de répit que lui laissait chaque meurtre. Deux jours à peine après l'assassinat de Raymond King, la Fatalité tomba, le 25 juillet, sur une jeune Allemande venue étudier l'anglais à Vancouver. Ce jour-là, Olson avait été pris en filature par la Police Montée. Mais le démon en personne protégeait le maniaque qui ne rencontra l'étudiante allemande que lorsque la surveillance eut été abandonnée.

Sigrun Arnd, 18 ans, fut aperçue à deux reprises en compagnie du tueur dans les quelques heures qui

précédèrent sa mort. La première fois, des charpen-
tiers qui connaissaient Olson les remarquèrent dans
un pub. Plus tard, le passager d'un train en marche
put les entrevoir allongés sur une digue du Fraser à
Richmond. Ils paraissaient pique-niquer.

À Weinheim (Allemagne fédérale), les parents de
Sigrun n'apprirent la terrible nouvelle que plus d'un
mois après le crime, lorsque le maniaque l'eut con-
fessé contre la somme de 10 000 $.

L'assassin l'avait tuée à coups de bâton et partiellement enterrée dans de la tourbe, à 100 m du cadavre du petit Simon Partington.

Olson fut pris en filature intermittente durant quelques heures les 27, 28 et 29 juillet. Il fut finalement
arrêté le 29, en compagnie de deux de ses amis, pour
avoir fait monter à bord de sa voiture deux mineures
et pour leur avoir fait absorber de l'alcool. Mais on le
relâcha aussitôt. Ironie du sort, les 25, 27 et 30 du
même mois, il réussit à violer et à assassiner des
enfants. Une chance cynique le protégeait.

○

Le matin du 27 juillet, vers 8 h 30, la blonde et
jolie Terri Carson, 15 ans, quitta l'appartement de sa
mère pour prendre l'autobus de Guilford. Elle
cherchait, elle aussi, un travail d'été pour aider sa
famille à survivre et continuer ses études au lycée
Queen Elizabeth de Surrey. Le même scénario se re-
produisit. Alors qu'elle attendait devant l'arrêt facul-
tatif, une Ford Escort toute rutilante vint s'arrêter à
son niveau. Le tueur lui demanda un renseignement,
engagea la conversation et lui proposa un emploi fort

bien rémunéré. L'artifice infaillible. La pauvresse crut que Dame Fortune lui souriait enfin. Quoique très soupçonneuse, — comme l'était d'ailleurs Sigrun Arnd — Terri finit par accepter. Lorsque le tueur lui proposa d'aller fêter cela à Hope, à 150 km de Surrey, Terri n'osa refuser de peur de mécontenter son nouveau patron et de perdre ses chances d'emploi. À Mission, Olson acheta de la limonade dans laquelle il versa discrètement de l'hydrate de chlore. Selon lui, la jeune Terri accepta aussi du LSD. Pendant que l'adolescente absorbait lentement et de bon gré cette drogue qui la transformait petit à petit en victime docile, Olson s'éloignait de Vancouver. Il se dirigeait imperturbablement vers la région même où reposaient déjà le corps dénaturé de Daryn Johnsrude, ceux de Sandra Wolfsteiner, de Ada Court, de Raymond King et de Judy Kozma. Mais à ce stade-ci, l'aurait-elle su qu'elle n'aurait pu réagir.

Arrivé au bord du lac Harrisson, Olson arrêta la voiture en pleine forêt et força la jeune fille à descendre. La matinée n'était pas encore terminée. Dans une sorte d'état second, l'adolescente réalisa sans doute à peine que le tueur la violait. Ceci fait il l'étrangla, brûla ses vêtements et jeta les souliers et le sac à main dans le fleuve Fraser où, en dépit des recherches, ils ne furent jamais retrouvés. Seuls le bracelet et les boucles d'oreilles furent découverts dans l'herbe, non loin du corps en pleine décomposition.

Avant de prendre le chemin du retour vers Vancouver, l'assassin continua vers Hope où il encaissa sans problème des chèques de voyage volés sur le corps de la jeune Allemande Sigrun Arnd quelques jours plus tôt[12].

---

12. 200 $.

À 16 h 45, une voiture banalisée de la Gendarmerie prit le maniaque en filature. Trop tard.

Le 6 août enfin, la Police Montée le mit sous surveillance permanente. Il devenait évident qu'Olson était bien le maniaque recherché. On le vit alors tenter d'embarquer une jeune fille, en dévisager d'autres, exécuter un cambriolage...

La responsabilité du suspect dans toutes ces disparitions venait d'être confirmée, le 29 juillet, par une nouvelle entrevue du gendarme Tarr avec son informateur en personne. Olson voulait jouer au chat et à la souris. Alors que Tarr lui demandait avec insistance de se renseigner sur les disparitions d'enfants, l'assassin réfléchit un instant et proposa au gendarme «des informations de première main qui allaient faire de lui un lieutenant».

— Choisissez un nombre de 1 à 10, demanda l'assassin avec un petit sourire.

— Euh!... Neuf!

— O.K.! Je vous donnerai un plan du delta du Fraser avec neuf numéros. Chaque numéro représentera un emplacement. Ce que vous trouverez, ce sera votre affaire! lança Olson avec l'air mystérieux de celui qui est dans le secret des dieux.

Pourtant, après son arrestation, il ne révéla pas gratuitement l'emplacement des cadavres. Il se rendit vite compte qu'il lui serait beaucoup plus profitable de les vendre aux enquêteurs.

Vers midi, l'assassin quitta le gendarme avec un *Take care!* des plus sympathiques[13].

Après avoir déjeuné, il reprit le volant de sa voiture pour continuer son éternel ratissage. Ce fut non

---

13. *Take care*, pour prendre congé de quelqu'un, marque un intérêt plus particulier: «Prenez bien soin de vous!»

loin du bureau de son avocat, à Maple Ridge, qu'il ramassa son ultime victime, Louise-Marie Chartrand, une Canadienne française de 17 ans. Elle partait ce soir-là, vers 19 heures, pour aller travailler de nuit dans un restaurant de la chaîne Bino. Malgré les enlèvements qui bouleversaient la région, elle avait décidé de faire de l'auto-stop. À cet âge, on croit toujours que le malheur n'arrive qu'aux autres.

Les sous-vêtements de Louise furent retrouvés le 31 juillet sur le bas-côté d'un chemin de Maple-Ridge. Son chemisier beige et son pantalon bleu, deux jours plus tard, à Whistler, à plusieurs kilomètres de là. Le chemisier était lacéré de coups de couteau. L'état du pantalon suggérait que l'assassin avait éventré sa victime. Le corps, découvert le 26 août, révéla que Louise avait été droguée comme les autres, violée puis tuée à coups de bâton sur la tête. La boîte crânienne avait éclaté. Dans un état de décomposition assez avancé, le cadavre sortait à demi de sa tombe.

O

Pendant ce temps, des équipes de policiers effectuaient des recherches afin de retrouver les corps des suppliciés. À l'aide d'hélicoptères équipés de caméras à infra-rouge, on commençait à détecter des cadavres en décomposition. Entre le 2 mai et le 5 août, trois corps furent découverts dans la région de Mission, celui de Judy Kozma, de Raymond King et de Daryn Johnsrude. Le 18 août, deux autres furent localisés, ceux de Terri Carson et de Colleen Daignault.

Enfin, le 12 août 1981, l'assassin décida d'aller draguer de nouvelles proies dans une région où la population n'était pas en état d'alerte: l'île de Vancouver. Il prit le ferry avec une voiture de location, suivi de ses deux anges-gardiens de la Police Montée qui, désormais, ne le perdaient plus des yeux.

À peine débarqué à Port-Alberni, Olson s'arrêta au niveau de deux jolies auto-stoppeuses et les invita à monter; ce qu'elles firent, fort heureuses de devoir à leur beauté la bonne fortune de voyager gratuitement et de vivre des aventures extraordinaires. Elles avaient déjà pris place à côté du maniaque lorsque la voiture banalisée des deux policiers vint se garer derrière. Un gyrophare magnétique tournoyait sur le toit du véhicule. Ils ne pouvaient pas risquer de le perdre avec ses deux victimes. L'un des deux policiers s'approcha d'Olson, tandis que le deuxième restait en protection un peu plus loin:

— GENDARMERIE ROYALE DU CANADA. Je vous arrête!

— Pourquoi diable? Qu'est-ce que vous me voulez encore? Je n'ai rien fait de mal!

— Pour deux cambriolages!

Fort déçu d'avoir perdu leur chauffeur, les deux filles descendirent à contrecœur. Ces gendarmes leur faisaient perdre un voyage gratuit... vers l'Éternité.

Habitué à être arrêté et aussitôt relâché, l'assassin n'opposa aucune résistance. Les gendarmes avaient reçu l'ordre de ne pas mentionner la principale cause de l'arrestation, afin qu'Olson ne se lançât dans aucune tentative désespérée.

Quoique la Police Montée n'ait eu, encore à ce moment-là, que de solides soupçons, elle ne tenait pas à le remettre en liberté. Les spécialistes du droit se démenèrent comme des forcenés afin de trouver de bonnes raisons de prolonger la garde à vue: possession d'armes dangereuses, conduite en état d'ivresse, vol avec effraction, etc.

Finalement, après un interrogatoire serré, Olson finit par avouer l'assassinat de la petite Judy Kozma. Il fut immédiatement inculpé et envoyé dans une institution psychiatrique afin de procéder à l'évaluation de ses responsabilités. Les tests durèrent un mois. Les psychiatres le déclarèrent responsable de ses actes.

○

Clifford Olson avoua 11 meurtres sous la pression des interrogatoires, mais refusa de révéler l'emplacement où il avait enterré les corps. Un jour, pourtant, les policiers entendirent l'incroyable proposition suivante:

— Je n'accepterai de vous révéler où j'ai enseveli les autres corps que si la GRC dépose 100 000 $ dans une banque au nom de ma femme et de mon enfant. Mon avocat se chargera de prendre des mesures pour que l'argent ne puisse être repris par la suite. Je veux 40 000 $ pour les cinq premiers — déjà découverts par les caméras à infra-rouge — et 10 000 $ par cadavre dont je vous donnerai l'emplacement...

Les policiers n'en croyaient pas leurs oreilles.

— ...J'exige aussi que ma femme et mon enfant soient protégés et relogés dans une autre partie du pays, et qu'ils aient la possibilité de changer de nom.

Après avoir demandé les autorisations nécessaires et devant les pressions énormes des familles des victimes, la Police Montée fut autorisée à «acheter» ainsi les corps des enfants martyrisés. L'avocat fit si bien les choses, après avoir raflé au passage de solides honoraires, que, malgré les poursuites judiciaires intentées par l'association des parents des victimes, la banque refusa toujours de rendre gorge, s'appuyant sur la légalité formelle de la transaction.

Devant le succès inespéré de son chantage, Olson avoua six mois plus tard, en mars 1982, une autre douzaine de victimes disparues le long de l'autoroute transcanadienne. Mais il se montra incapable de révéler l'emplacement exact des dépouilles.

Quelques mois après son incarcération à la prison fédérale de Kingston où il purge la première de ses 11 condamnations à vie, il confia à un compagnon de cellule:

— Si la peine de mort avait été en vigueur au Canada, je n'aurais jamais tué tous ces enfants!

Étrange confidence!

Photo : Jean-Claude Castex

Domicile de l'assassin. Il habitait avec sa femme et son enfant, un appartement situé à gauche au dernier étage. De son balcon, qui dominait King George highway, il pouvait surveiller les jeunes auto-stoppeurs.

Mais qui est donc Joseph Shukin?

Les Canadiens sont certainement les êtres les plus difficiles à étonner au sujet de croyances métaphysiques, car c'est au Canada, comme dans l'ensemble de l'Amérique du Nord, que se sont fixées les sectes les plus étranges. L'une des dernières en date, une secte ontarienne, a même demandé au Gouvernement fédéral[1] de modifier la Loi sur les drogues et les stupéfiants, afin de permettre à ses fidèles de s'adonner à la drogue *rituelle* durant les offices religieux. Les requérants citaient en exemple un des articles de la Loi sur la consommation des boissons alcooliques qui permet, par exception, aux seuls prêtres catholiques et anglicans de consommer du vin en public, mais dans le seul et unique but de célébrer le saint sacrifice de la messe.

Une secte canadienne, les Doukhobors, fit couler beaucoup d'encre et de salive durant tout le XXe siècle. Le mot de «Doukhobor» est un sobriquet signifiant «Esprit de Lutteur» que les orthodoxes russes leur donnaient par dérision. Leur Église, appelée l'Union des communautés spirituelles du Christ, comptait 23 500 Canadiens d'origine russe en 1982.

Grâce à l'appui de Léon Tolstoï et à l'argent de l'Église Quaker, ils s'installèrent au Canada en 1899. Le Gouvernement canadien, décidé à peupler la Saskatchewan et à noyer la population francophone des Prairies, leur attribua des terres à défricher. Il les

---

1. Au début des années 1980.

exempta du service militaire, conformément aux exigences de leur religion. Une grande concession de 65 hectares de bonnes terres, accompagnée d'une généreuse allocation d'installation de 6,50 $ fut accordée à chaque doukhobor de sexe masculin de 18 ans et plus.

Sous la direction du comte Serge Tolstoï, fils du grand écrivain, les 7500 premiers Doukhobors quittèrent la Sainte Russie avec la bénédiction du tsar, fort heureux de se débarrasser de ces croyants au comportement extrêmement incompréhensible.

Dès le début, surgirent des problèmes avec l'État canadien. Si·quelques rares Doukhobors devinrent de bons pionniers, l'immense majorité refusa de signer les certificats de propriété de leur concession. Ils obéissaient en cela à des directives secrètes de leur chef religieux, Pierre le Divin, resté provisoirement en Russie. Celui-ci préférait voir son troupeau vivre en communauté sur une sorte de kolkhoze avant la lettre, qui serait la propriété pleine et entière de l'Église dont il était le chef incontesté.

Le Gouvernement canadien ne l'entendait pas de cette oreille. Il ne voulait pas que les colons puissent éventuellement être chassés de leurs terres s'ils décidaient de contester certains préceptes de leur religion ou, délibérément, de ne plus la pratiquer.

De plus, la direction des Doukhobors refusait de communiquer d'elle-même au Gouvernement le nombre de naissances et de décès. Rappelons qu'il y a peu de temps encore les Églises canadiennes tenaient les registres officiels de l'état civil.

Les lettres de Pierre le Divin n'arrangeaient rien. Il menait systématiquement une double politique, assurant d'un côté qu'il s'efforçait de convaincre ses fidèles de se soumettre aux exigences de l'État, alors qu'il leur ordonnait secrètement de s'obstiner dans leur opposition.

De nombreux bienfaiteurs à travers le monde avaient offert aux Doukhobors 350 chevaux de trait, 177 bœufs de labour, 184 vaches laitières, 130 charrues, 170 chariots et 4724 tonnes de foin pour les aider à mettre leurs fermes en valeur. Pierre leur interdit d'utiliser ces animaux pour effectuer leur propre travail. Ils devaient imiter l'exemple de Jésus qui avait abandonné tout travail manuel pour aller prêcher aux quatre coins de l'univers: «Il existe à travers le monde, dans les pays chauds, des régions où l'homme peut vivre de cueillette, sans travailler», écrivit-il dans l'une de ses lettres «pastorales». Les Doukhobors lâchèrent aussitôt le bétail dans la campagne. La Police Montée captura les animaux et les vendit aux enchères publiques, plaçant l'argent dans un fonds spécial.

Influencés par les directives de plus en plus extravagantes de cet homme énigmatique, l'aile la plus activiste des Doukhobors, appelée Svobodniki ou «Fils de la Liberté», commença à se comporter de façon incompréhensible. Les 2000 Fils de la Liberté abandonnèrent leurs fermes et décidèrent de manifester dans le plus simple appareil. L'automne, dans les Prairies, est extrêmement rigoureux. Totalement nus, sans provisions d'aucune sorte et avec les malades sur des brancards, ils commencèrent une longue marche vers la ville voisine, Yorkton[2], où ils prêchèrent, avant de poursuivre leur chemin. «Dieu nous a ordonné, disaient-ils, de tout abandonner pour aller prêcher.» Il leur avait aussi prophétisé que les «gens riches qu'ils rencontreraient le long du chemin leur

2. En octobre 1902.

donneraient à manger». Ce en quoi il ne se trompait pas. Les gens des villes, horrifiés à la vue de ce lamentable troupeau, logeaient ce peuple errant dans les salles publiques de leurs agglomérations.

Un jour d'octobre, le groupe de nudistes, étroitement encadré par la Police Montée, refusa d'accepter les vivres de la généreuse population. Dès qu'un enfant s'emparait d'un biscuit tendu par la main secourable d'un passant, sa mère le lui arrachait des doigts. Cette grève de la faim dura un jour entier. Dès le lendemain, la plupart recommencèrent à s'alimenter.

Le Gouvernement canadien s'affola, ne sachant que faire devant cette démence collective. La population, quoique choquée par leur nudité, les considérait avec pitié. Ces gens n'étaient que les victimes de ce que Voltaire a surnommé «l'opium du peuple.»

Le 1er novembre, la pluie fut suivie de gel. Tous présentaient des signes avancés d'épuisement. Leurs yeux brillaient de folie religieuse. Herbert Archer, un tolstoïen anglais, révéla que le but de ces démonstrations était d'affoler le Gouvernement canadien qui se verrait obligé d'accepter que la terre n'appartînt qu'à la direction de la secte, c'est-à-dire à Pierre le Divin.

Le 3 novembre, la neige tomba. Il fallait une constitution de moujik pour résister, tout nu, à des températures glaciales. La nuit, lorsqu'il n'y avait pas de village pour l'héberger, le lamentable troupeau de nudistes formait une masse compacte sous la neige, où ceux des bords se faisaient remplacer à intervalles réguliers. Les troupeaux de bœufs de la Prairie canadienne agissent ainsi.

Finalement, en désespoir de cause, la Police Montée commença à utiliser la force pour rapatrier dans leurs foyers ces «fous de Dieu».

Leur chef spirituel, Pierre le Divin — alias Petrushka Vasilivitch Vérigine — arriva enfin au Canada à la veille de Noël 1902. Mais il continua de pratiquer sa politique ambiguë du double jeu, conseillant en public de signer les contrats de concession, et l'interdisant en sous-main.

Ce fut à son arrivée qu'il lança parmi son peuple la prophétie de «migration» que ses successeurs ont toujours utilisée depuis lors, afin que le peuple ne s'enracinât pas trop dans les biens de cette terre: «Nous ne sommes que des visiteurs ici-bas.»

Pendant ce temps, le compte en banque personnel de Pierre s'enflait démesurément pour atteindre 720 000 $ en 1907, cinq ans après son arrivée au Canada!

O

Tant d'argent et de pouvoir ne pouvaient qu'engendrer des jalousies. D'autant plus que le rôle de leader spirituel était considéré comme héréditaire. Toutes ces ambitieuses rivalités devaient se révéler fatales pour Pierre le Divin.

Le 28 octobre 1924, le train n° 7 de la Compagnie Canadien-Pacifique entra dans la petite gare de Brilliant, pittoresque localité des Rocheuses canadiennes. Pierre le Divin, alors âgé de 64 ans, prit place dans le wagon de première classe n° 1586, accompagné de sa jeune et jolie maîtresse de 20 ans, Marie Streleoff, et de son entourage habituel.

Un des aides pénétra dans le train avec les bagages, puis redescendit après avoir incliné respectueusement la tête en passant devant le chef spirituel. La jeune fille prit place près de la fenêtre, après avoir courbé elle-aussi la tête devant son seigneur et maître, Pierre le Divin.

Un autre doukhobor qui ne faisait pas partie du groupe prit place dans le même train à Brilliant. Il choisit un siège situé à quelques rangées derrière le leader spirituel, mais descendit à la petite gare suivante, Castlegar, 3 km plus loin. Le lendemain, les survivants du train, interrogés par la Police Montée, affirmèrent se souvenir de ce rouquin qui était redescendu si vite. Mais personne ne put en donner le moindre signalement.

À Castlegar, deux autres doukhobors passèrent quelques instants dans le train. Ils transportaient deux valises qu'ils placèrent nonchalamment, l'une, sous le siège de Pierre le Divin, — celle précisément qui contenait la bombe à retardement réglée pour 1 heure du matin — et l'autre derrière. Ils parlèrent un instant à leur leader spirituel, puis lui serrèrent chaleureusement la main. Avec d'autant plus d'émotion d'ailleurs qu'ils n'ignoraient pas qu'ils le voyaient vivant pour la dernière fois.

Avant de prendre congé de lui, ils s'inclinèrent en profondes révérences:

— Bonne chance, Pétrushka! répétèrent-ils deux ou trois fois en reculant respectueusement.

Dans la valise, le mécanisme électrique du détonateur commençait son compte à rebours mortel.

Outre ces deux doukhobors qui ne restèrent pas dans le train, quatre voyageurs montèrent dans le wagon à Castlegar: d'une part, Harry Bishop, joueur de hockey de Nelson, et William Armstrong, un voyageur de commerce domicilié à Vancouver (ils s'installèrent, inconscients du danger, juste derrière Pierre le Divin); et, d'autre part, Frank Gaskill, un homme d'affaires américain et un autre doukhobor, Georges Zeboroff, qui venait de participer à la cueillette de fruits à Castlegar. Celui-ci prit place très loin du leader spirituel, à l'autre extrémité du wagon.

Le train repartit en direction de Trail, une localité minière de la région. Là, embarquèrent deux nouveaux passagers, Neil Murray, fermier de Grand-Forks, et John MacKie, un industriel de cette même ville. Trois Hindous discutaient au fond du wagon.

Peu après minuit, le train s'arrêta à Tunnel où prirent place trois doukhobors, Nick Reiben, Georges Markin et Georges Kasikoff.

La nuit était noire. Le chef de train n'avait conservé que la faible lueur des veilleuses, de façon à ne pas déranger les passagers qui préféraient dormir ou sommeiller. Les idées s'étaient dissipées dans l'esprit assoupi des passagers. Les conversations avaient fini par mourir, comme un feu qu'on n'a plus l'énergie d'alimenter. On n'entendait plus que les lourdes respirations ou les sourds ronflements des dormeurs. Seule, une Italienne assise à l'avant, — de même que les trois Hindous — ne dormait pas encore.

Pierre le Divin avait déjà sombré dans son dernier sommeil. Il ne s'en réveillerait jamais. Sa maîtresse aux traits enfantins appuyait la tête contre la vitre.

À Farron, à 12 h 55, cinq minutes seulement avant l'explosion, monta Henry Fawcett.

Le contrôleur Joseph Turner traversa le wagon occupé par le leader spirituel, afin de rejoindre son collègue Wilfrid Marquis à l'extrémité du train. Il ne restait qu'une seule minute de répit avant l'explosion.

Tous deux entreprirent de traverser la voiture-couchettes, puis le wagon-coach où dormaient Pierre le Divin et les autres passagers. Quand les deux contrôleurs quittèrent le wagon piégé, le détonateur de la bombe à retardement marquait -5 secondes. Ils venaient de pénétrer dans le fourgon à bagages lorsque la déflagration arracha la porte qu'ils venaient de franchir. Ils se retournèrent, stupéfaits, et virent que le toit du wagon-coach avait disparu pour laisser place au ciel étoilé. La toiture de métal, toute déformée avait atterri 10 mètres plus loin.

Des flammes bleues pénétraient à l'intérieur du train par un grand trou béant du plancher... juste à l'endroit où, quelques secondes plus tôt, se trouvait le siège sur lequel dormait le leader spirituel des Doukhobors. Les banquettes du wagon étaient dispersées un peu partout dans un désordre indescriptible. Les parois extérieures, même, avaient été tordues par le souffle.

Le train roulait alors à 30 km/h. Il s'arrêta à une cinquantaine de mètres de l'épicentre de l'explosion.

Le corps de Pierre Vasilivitch Vérigine, alias Pierre le Divin, seigneur de milliers de Doukhobors canadiens, gisait, tout désarticulé, sur le bas-côté rocheux de la voie ferrée, à 16 mètres de là. Une de ses jambes, arrachée, reposait à quelques mètres du corps. Le souffle, d'une violence inouïe, avait projeté les objets les plus hétéroclites tout autour du point d'explosion, dans un cercle de 100 mètres de rayon. Les restes de la valise piégée contenant le mécanisme d'horlogerie et deux piles furent récupérés à environ 100 mètres du convoi.

La toute jeune maîtresse du leader spirituel, Marie Streleoff, agonisait un peu plus loin. Son corps de 20 ans se vidait rapidement de ses dernières traces de vie. L'industriel de Grand-Forks, John MacKie gisait à deux mètres de là; mort. Quant à l'un des jeunes Hindous, il était méconnaissable.

Dans le wagon, les flammes crépitaient autour du trou qu'avait percé la bombe meurtrière. Certains passagers demeuraient immobiles, comme sans vie, dans la confusion des sièges arrachés et renversés. D'autres rampaient vers les sorties.

Le personnel du train commença enfin à arriver avec des extincteurs, car l'incendie s'étendait rapidement.

Marquis et Turner, luttant contre l'asphyxie, tâchèrent de porter secours aux blessés qui restaient pris dans le chaos du wagon détruit. Georges Zeboroff fut ainsi transporté dans la voiture-couchettes. Il avait longuement lutté pour se dégager du feu, de la fumée et des débris, avant de s'évanouir. Gaskill, l'homme d'affaires américain, fut, lui aussi, tiré du brasier.

Après avoir sauvé sept personnes, les cheminots détachèrent le wagon en feu afin de l'éloigner un peu des autres voitures. Il brûla jusqu'au niveau des essieux. L'un des cheminots courut à Farron, la dernière gare, afin d'y quérir les secours. La locomotive diesel remorqua le fourgon à bagages jusqu'à Grand Forks. Les blessés furent transférés à l'hôpital de cette ville.

La jeune Marie Streleoff, le fermier Neil Murray et William Armstrong, le voyageur de commerce de Vancouver, moururent avant d'atteindre l'hôpital.

L'attentat contre le leader spirituel des Doukhobors coûta la vie à neuf personnes, car un cadavre carbonisé non identifié fut par la suite retrouvé dans les décombres du wagon brûlé.

○

Dès que la communauté doukhobor de Colombie-Britannique apprit le décès de son chef, elle loua un train spécial qui arriva sur les lieux dans les heures qui suivirent. Deux gendarmes accompagnaient les fidèles afin de procéder à l'enquête judiciaire. Le corps fut, avec mille précautions et une immense vénération, déposé sur la couchette d'un wagon transformé en chapelle ardente. Le train retourna ensuite à Grand Forks où devait se poursuivre l'enquête.

Des milliers de fidèles recueillis défilèrent devant les restes rompus de Pierre le Divin, afin de leur rendre un dernier hommage par des prières et par des chants russes pleins de nostalgie.

À minuit, le train reprit sa route en direction de Brilliant, domicile de Pierre le Divin.

Toute la journée du lendemain, des foules de Doukhobors de Colombie-Britannique et de Saskatchewan vinrent se recueillir devant la dépouille du défunt. Une rangée de petites filles en *babushkas* d'un côté, et, de l'autre, des petits garçons, rendaient les honneurs. Deux grandes bannières, l'une en russe et l'autre en anglais proclamaient:

UNE VIE DE LABEUR ET DE PAIX,
PIERRE LE DIVIN (VÉRIGINE).

Une colombe blanche dominait la formule: «EMBLÈME DE PAIX», en lettres d'or.

Le dimanche 2 novembre, devant 7000 Doukhobors recueillis, Pierre le Divin fut inhumé sur une montagne qui domine ce qui avait été son royaume terrestre, à l'intersection des magnifiques vallées du Kootenay et de la Columbia.

«Pierre le Divin, proclama le neveu de la victime, Larion Vérigine, naquit du Saint Esprit. Comme le Christ-Sauveur, il est descendu de chez le Père Céleste pour la rédemption de nos âmes...»

Dans la foule qui priait à genoux et les yeux fermés, cinq hommes gardaient les yeux bien ouverts: les cinq organisateurs de l'assassinat.

Quoique encore en Russie au moment du crime, Pierre Pétrovitch Vérigine, le fils du leader spirituel, fut considéré, selon l'enquête de la Police Montée, comme l'instigateur de l'assassinat. Mais, à cause de la loi du silence, qui est de règle chez les Doukhobors, la police ne put jamais recueillir de preuves utilisables devant les tribunaux en vue de l'inculper.

Il haïssait tant son père, que, six semaines après la mort du leader spirituel, le 10 décembre, le jour exact où, selon la croyance doukhobor, l'âme pénètre au Paradis, une nouvelle bombe fit voler en éclats la tombe et les restes de Pierre le Divin.

Le 16 septembre 1927, le fils du défunt, Pierre Pétrovitch Vérigine débarqua enfin au Canada en compagnie de Paul Birukoff, le vieux biographe de Léon Tolstoï.

À peine arrivé, il demanda des détails sur la situation financière de «l'Église de la Communauté Chrétienne de la Fraternité Universelle». Comme ce qu'on lui expliquait n'avait pas l'heur de lui plaire, il sombra dans une colère furieuse et se mit à hurler comme un possédé. Ses blasphèmes pouvaient être entendus à travers l'hôtel tout entier. Il arrivait d'Union soviétique pour remettre les Doukhobors dans le droit chemin et rien ne l'arrêterait!

— Je suis Chistiakoff, «Celui-qui-Purge», et je vous purgerai de vos péchés. Je vous nettoierai de vos souillures et vous rendrai dignes de vivre avec le

Christ, annonçait-il à chaque assemblée des fidèles qu'il visitait à travers le Canada.

○

«Chistiakoff» choisit, comme éminence grise, un homme nommé Joseph Shukin.

Mais, au fait! Qui est donc Joseph Shukin? C'est une question très pertinente. L'enquête de la Gendarmerie a démontré que Joseph Shukin ressemble comme un frère, selon les témoins, à l'individu qui a placé la valise piégée sous le siège de Pierre le Divin...

Les missionnaires
de l'enfer blanc

Les assasins Sinnisiak et Oulouksak, assis devant, attendent leur procès à Edmonton pour le meurtre de deux Pères Oblats français sur la rivière Coppermine en 1913. L'inspecteur La Nauze de la Police Montée est assis au centre du groupe.

Alors qu'en France le juge se contente d'appliquer des lois codifiées, le magistrat anglo-canadien garde une très grande liberté de décision s'il parvient à étayer ses verdicts par quelque cas de jurisprudence.

Au début du XXᵉ siècle, la mort sanctionnait toujours au Canada les crimes de sang, sauf quand la légitime défense pouvait être invoquée et prouvée. Ainsi, en août 1920, l'inspecteur J. Phillips et le sergent A. Joy, de la Police Montée, quittèrent par bateau leur poste de Moose-Factory afin d'aller enquêter sur la mort d'un Inuk, nommé Kétaushouk. L'enquête révéla que ce dernier, ayant perdu la raison, avait menacé de tuer quiconque couperait son chemin, ou du moins la trace de ses pieds dans la neige. Devant cette menace, le village s'était réuni aussitôt en conseil délibérant et avait décidé que Kétaushouk devait mourir dès que possible, car il mettait en danger la vie et la sérénité de tous.

Un autre Inuk, Tukautouk, reçut la tâche de procéder à la mise à mort. Il s'en acquitta dans les jours qui suivirent en se postant derrière une colline et en déchargeant sa carabine dans la tête du condamné au moment où celui-ci sortait de son iglou.

Jouant le rôle de médecin légiste, l'inspecteur Phillips constitua un jury composé de quelques Blancs de la région. Après mûres délibérations, ce conseil décida que Kétaushouk «avait été abattu pour le bien commun et la sécurité du groupe», et que, par conséquent, l'assassin ne serait pas poursuivi.

Pourtant, «l'équité» des juges, des jurés et des ministres de la Justice ouvrait parfois la porte à toutes sortes de décisions arbitraires, entrant en contradiction avec le simple bon sens.
Le récit suivant en est l'illustration parfaite.

○

Le 5 juillet 1911, le prêtre Jean-Baptiste Rouvière, cévenol de 30 ans originaire d'Antrénas (Lozère), partit seul, muni d'un autel portatif et de quelques provisions sur la route de sa nouvelle mission des neiges. On lui avait demandé d'aller évangéliser les Inuit du Cuivre, et il partait plein de foi dans sa réussite.

Il remonta le fleuve Mackenzie de Good-Hope à Fort-Norman et suivit la rivière de l'Ours[1]. Puis il traversa le Grand Lac de l'Ours (300 km), pour arriver dans la baie de Dease où il constata, plein de déception, que les Inuit auxquels il voulait se joindre avaient levé le camp pour regagner leurs quartiers d'hiver sur l'océan Glacial Arctique.

Sans se décourager le moins du monde, il partit à leur poursuite au milieu des difficultés qu'un homme ordinaire n'aurait jamais pu surmonter. Pendant trois jours, il marcha, après avoir abandonné son canot devenu inutile, soutenu seulement par une foi indestructible.

Le 15 août 1911, vers 19 heures, il aperçut enfin trois êtres humains au sommet d'une colline. À sa vue, les trois hommes se précipitèrent vers le

_____

1. 160 km.

missionnaire qui semblait sorti d'un repli du terrain. Arrivé à quelque distance du nouveau venu, l'Inuk le plus rapide s'arrêta, leva les bras au ciel, pencha la tête à droite, puis inclina tout son corps vers la terre en signe de bienvenue. Jean-Baptiste Rouvière lui répondit en levant les bras en signe de paix. Quelques instants plus tard, lorsque le premier Inuk se rendit compte qu'il s'agissait d'un Blanc, il se retourna vers ses camarades en criant:

— *Krablouna! Krablouna*[2]!

L'accueil fut des plus chaleureux. Tous se montrèrent fortement intéressés par la croix de métal chromé qui pendait sur sa soutane. Le prêtre vit là un signe de bon augure quant à l'accomplissement de son apostolat. «Ils m'invitèrent à leur table. Je n'eus garde de refuser; car, marchant depuis le matin sans manger, j'étais affamé[3].»

Cette cordialité décida Jean-Baptiste Rouvière de passer l'hiver sur le territoire parcouru par ses nouveaux «paroissiens.» Il commença immédiatement la construction de son église, une modeste cabane de rondins, tout près du lac Imérénik[4], à une centaine de périlleux kilomètres au nord-est de la baie de Dease. Le 17 septembre 1911, il y célébrait sa première messe.

Chaque jour, des groupes passaient pour transhumer[5] vers l'océan Arctique. Il les recevait, et, à l'aide des rares bribes de phrases qu'il connaissait,

---

2. C'est un Blanc! C'est un Blanc!
3. Lettre du Père Rouvière à Mgr Breynat, datée du 18 août 1911.
4. Aujourd'hui appelé lac Rouvière en son honneur.
5. Quoique ne correspondant pas tout à fait au sens alpin, ce verbe paraît convenir assez bien aux déplacements saisonniers des populations inuit qui suivent les grands troupeaux de caribous.

essayait de leur parler d'un certain Jésus qui vivait dans une lointaine région appelée la Palestine. Mais, dès le début du mois de novembre, le silence et la solitude enveloppèrent la petite cabane jusqu'au printemps suivant. Le missionnaire reprit donc le chemin de la baie de Dease[6].

En avril 1912, Jean-Baptiste Rouvière retourna avec son traîneau à chiens à la mission du Fort-Norman pour y quérir un jeune missionnaire breton récemment arrivé de France, Guillaume Leroux, 27 ans, originaire de Plomodiern (Finistère).

Les deux hommes parvinrent, le 27 août, à leur chapelle du lac Imérénik.

L'automne arriva. Comme l'année précédente, les familles inuit quittèrent les régions de forêt clairsemée[7] pour les Terres stériles de l'océan Arctique. Les familles transhumantes passaient près de la chapelle et furent hâtivement évangélisées, tout au moins dans la mesure des possibilités linguistiques fort limitées des missionnaires. Le grain ainsi semé finirait bien par germer.

Au cours des dix interminables mois de solitude hivernale, les deux Français se rendirent compte que, dans ces régions où l'hiver s'éternise comme à plaisir, ils avaient tout' avantage à transporter leurs pénates sur les bords de l'océan Arctique où migrait durant cette saison l'ensemble de la population inuit provenant du Grand Lac de l'Ours et du lac Imérénik. Mais pour cela, il leur fallait l'assentiment de leur supérieur hiérarchique, Mgr Breynat.

---

6. Note d'un vieux missionnaire français de cette région, communiquée à l'auteur en 1989.
7. Ces régions où les Inuit chassent pendant l'été s'appellent: *Koglouktoualougmiout.*

Les choses seraient demeurées ainsi pendant longtemps encore, si, à la fin du mois d'août 1913, ne s'était présenté un Indien porteur d'une lettre d'un officier de marine, le commandant José Bernard. Celui-ci invitait les deux Français à venir établir leur mission au golfe du Couronnement, sur les bords mêmes de l'océan Arctique.

Le jour même, le 30 août 1913, les deux missionnaires levèrent donc le camp en direction du golfe, après avoir confié au messager, qui continuait vers Fort-Norman, une lettre adressée à Mgr Breynat:

«Je vous envoie ce mot de José Bernard. Il nous décide tout à fait. Nous allons partir. Bénissez-nous, Monseigneur. Et que Marie nous garde et nous dirige!»

Ce fut leur dernière lettre.

O

Quelques mois après ce départ, une horrible rumeur commença à circuler de bouche à oreille dans les vastes étendues glacées du Grand Nord canadien: Les deux Français auraient été sauvagement assassinés par un Inuk du Cuivre.

Mgr Breynat, responsable des deux missionnaires, sentit ses cheveux se dresser sur la tête lorsqu'il eut vent de cette nouvelle, surtout quand l'inspecteur Rhéault, de la Police Montée, en poste dans le Mackenzie, annonça, lui aussi, tenir des renseignements similaires de la part d'Indiens Déné Flancs-de-Chien.

Au début de l'année 1914, l'explorateur d'Arcy Arden rapporta, pour sa part, avoir aperçu, dans la nature, des Inuit affublés de vêtements sacerdotaux.

En mars 1915, Mgr Breynat décida de tirer cette affaire au clair. Il s'adressa à la Police Montée afin de déposer une demande officielle de recherche.

L'inspecteur Lanauze, qui connaissait fort bien le pays des Inuit du Cuivre, se fit confier la direction de l'enquête. Il savait par expérience que ces peuples étaient si primitifs, à cette époque, que peu d'entre eux avaient rencontré un seul homme blanc. Ce n'est pas, bien sûr, un critère d'évolution, mais cela montre bien à quel point ils vivaient repliés sur eux-mêmes.

Il fallait aussi éviter de prendre trop au pied de la lettre les rumeurs répandues par les Indiens Déné Flancs-de-Chien, car il était de notoriété publique que les Indiens et les Inuit se haïssaient si fort qu'ils n'auraient pas hésité un seul instant à répandre des calomnies sans fondement.

O

Au printemps de l'année 1915, donc, peu après que Mgr Breynat eut déposé une demande officielle de recherche auprès de la Police Montée du Mackenzie, l'inspecteur Lanauze[8], un interprète et deux gendarmes, Wight et Wighters, se mirent en marche en compagnie d'un missionnaire, le père Frapsauce, afin de rechercher les deux Français.

De la chapelle de rondins du lac Imérénik, il ne restait que des ruines. Quant aux Inuit, ils

---

8. Nom parfois épelé Lauze, par certains historiens.

s'abstinrent, cette année-là, de se manifester dans la région, craignant sans doute des représailles de la part des autorités.

Les gendarmes hivernèrent dans une cabane construite près de la baie de Dease, et se remirent en marche vers le nord à la fin d'avril 1916. Ils atteignirent en mai un village inuit, situé à l'embouchure de la rivière Coppermine. C'était la tribu même qu'avaient voulu évangéliser les deux Français.

L'enquête commença immédiatement.

○

Pendant des jours entiers, les policiers et l'interprète Ilvarnic interrogèrent la population de toute la région, afin de découvrir ce qu'il était advenu des deux Blancs venus trois ans plus tôt. Ils utilisèrent toutes les techniques les plus sophistiquées de l'art de l'interrogatoire. Sans résultat. La loi du silence tenait les langues avec une telle fermeté que les deux missionnaires semblaient s'être volatilisés dans la nature. En désespoir de cause, Lanauze lança un jour à l'interprète:

— Demande-lui sans détour qui a tué les missionnaires!

À leur immense surprise, l'Inuk, ainsi interrogé, répondit dans un souffle:

— Les Blancs ont été tués par Sinnisiak et Oulouksak!

Le ton était donné. Les langues se délièrent comme par enchantement. Très rapidement, les policiers allaient connaître les moindres détails du terrible drame qui s'était déroulé sur les bord de cette mer de glace. Au fur et à mesure de l'enquête, les déclarations allaient être confirmées et complétées par les aveux des deux coupables et par le Journal même de Jean-Baptiste Rouvière, dont quelques fragments furent retrouvés par la suite.

O

Le 8 octobre 1913, les deux Français avaient donc quitté le lac Imérénik avec un groupe d'Inuit qui transhumaient vers leurs territoires de chasse d'hiver, l'océan Arctique.

Le trajet de 140 km fut extrêmement difficile pour le père Leroux, qui souffrait d'un rhume, et pour le père Rouvière, qui s'était blessé en bâtissant la cabane de la baie de Dease. Le journal de route de celui-ci donnait une idée des embarras et même des périls de cet interminable voyage: «Temps affreux», «chemins difficiles», «vents contraires», «fatigue des chiens affamés»; quant aux mots «Froids intenses», ils émaillaient littéralement chaque page.

Après deux semaines de voyage, la colonne de traîneaux arriva avec soulagement au terme du parcours, l'embouchure de la Coppermine. Mais l'euphorie fut de courte durée. Déjà, de nombreuses familles étaient reparties dans une autre direction après avoir constaté avec désespoir que la pêche ne promettait cette année-là que des gains fort précaires, et que le caribou faisait presque totalement défaut. «Désenchantement de la part des Inuit», notait le Français plein d'amertume: «Nous sommes menacés de famine; aussi nous ne savons que faire.»

La petite réserve de vivres que les deux missionnaires avaient apportée fut presque immédiatement
volée. La vie allait rapidement devenir infernale pour
les deux Blancs.

«Pendant la nuit du 26 au 27 octobre, écrit le
père Duchaussois, Kormik, un Inuk qui les héber-
geait cette semaine-là sous sa tente, se glissa au
chevet de ses hôtes, enleva la carabine du père
Leroux et la cacha.»

«Quel que fut le protocole indigène qui prescrit
de ne rien refuser, les missionnaires ne pouvaient tolé-
rer ce dernier larcin: «Se risquer sans fusil dans ce
pays, c'est, pour un Blanc, se condamner à mourir de
faim.» L'arme fut donc reprise de force par son propriétaire. Kormik en colère se rua sur le père Leroux
pour le tuer. Mais un brave vieillard, nommé Koha,
s'interposa. Il saisit l'agresseur à bras le corps et le
maîtrisa.»

«Il prit ensuite les missionnaires à part et leur
déclara que leur vie était en danger: «Kormik et les
siens, leur dit-il, vous feront un mauvais parti. Vous
devriez retourner tout de suite à votre cabane du lac
Imérénik. Vous reviendrez l'année prochaine en meilleure compagnie.»

Comprenant qu'ils ne manqueraient pas de se
faire assassiner s'ils s'obstinaient à rester sur place,
les deux Français décidèrent enfin de repartir vers le
sud. Le vieux Koha les aida à atteler leurs deux chiens
et à charger le traîneau. Après quoi il les accom-
pagna durant quelques kilomètres seulement afin que
leur équipage prît la bonne route, mais surtout pour
les protéger contre toute attaque vicieuse de la part
de celui qui avait juré de les assassiner. Le bon vieil
Inuk s'attela même au traîneau afin d'aider les chiens
dans les passages difficiles.

Mais il ne pouvait les accompagner trop loin du campement sans risquer de mettre sa propre vie en péril. Après une demi-journée de laborieuse marche, il leur serra la main et leur souhaita bon voyage en leur expliquant qu'ils allaient bientôt quitter la vallée de la Coppermine quelque peu boisée et entrer dans les immensités des Terres stériles[9]. Ce qui, selon Koha, présenterait moins de dangers pour les voyageurs[10]:

— Après cela, vous n'éprouverez plus de difficulté. Je vous aime et je ne veux pas qu'on vous fasse de mal.

○

Koha connaissait trop bien Kormik. Il ne restait aux deux Français que quatre nuits à vivre.

Au camp de la rivière Coppermine, le vindicatif Inuk avait réussi à convaincre deux'de ses parents, Sinnisiak et Oulouksak de partir à la poursuite des deux prêtres pour les assassiner. Il pensait que les fugitifs se méfieraient moins de ces deux inconnus qui n'avaient pas pris part à la dispute initiale.

Les deux comparses quittèrent donc discrètement le camp endormi, dès la nuit suivante, afin de se lancer à la poursuite des prêtres.

En les voyant arriver, vers midi le lendemain, les deux Français se doutèrent immédiatement de la mission des Inuit. Malgré cela, ils leur firent bon accueil.

---

9. Les Barren Grounds
10. La forêt est le domaine des Indiens et les Terres stériles celles des Inuit. Ces derniers n'aiment pas s'aventurer dans la forêt où ils se perdent facilement.

— Nous allons au devant d'un groupe de parents attardés dans les bois, expliquèrent les tueurs. Puisque nous devons faire un peu de route ensemble, nous vous aiderons à traîner votre attelage.

Le soir venu, Sinnisiak et Oulouksak campèrent à part[11]. Le lendemain matin, ils revinrent au traîneau et sans doute ne purent encore frapper ce jour-là.

Pour la nuit suivante les quatre voyageurs se construisirent un iglou où ils s'abritèrent côte à côte: les pères pouvaient compter sur la loi de l'hospitalité qui rend inviolable tout étranger tant qu'il se trouve sous la tente, ou dans la maison de neige de l'Inuk.

Le lendemain, la caravane se remit en marche. En avant, le père Rouvière battait la neige de sa raquette, afin de frayer un passage. Le père Leroux était à la tâche, non moins pénible, de retenir avec des cordes l'arrière du traîneau qui, sans cela, aurait chaviré à chaque cahot.

Jusque-là les Français toujours sur le qui-vive avaient réussi à se maintenir en vie. Les deux assassins les sentaient sur leurs gardes et n'osaient les attaquer. La tension était à son comble entre les deux groupes qui s'observaient continuellement du coin de l'œil. Et, quoique la carabine de chasse des deux prêtres restât dans le traîneau, de façon à ne pas dévoiler trop de suspicion, ils s'arrangeaient toujours pour demeurer à proximité.

En fait, il semble indéniable, après coup, que les deux Français auraient dû demeurer armés, ne serait-ce que pour montrer leur détermination. La non-violence invite parfois à la violence. Mais on ne peut récrire l'histoire, et les deux prêtres auraient peut-

---

11. Selon le père Duchaussois, dans son livre cité en bibliographie.

être survécu quelques jours de plus si un événement fortuit n'était venu perturber leur vigilance toujours en éveil. Une tempête de neige se leva.

Qui n'a pas vécu un blizzard canadien peut difficilement l'imaginer.

Les flocons légers, habituellement si doux et si délicats, semblent pris de folie. Ils se mettent à tourbillonner furieusement autour du voyageur, le fouettent et le giflent avec une violence inouïe, l'aveuglent et l'enferment dans une sorte de cocon semblable à un linceul mortuaire, et gèlent ses membres et son sang jusqu'à lui faire perdre toute notion du temps et même tout désir de vivre.

Sinnisiak et Oulouksak, à l'affût depuis plusieurs jours déjà, virent que c'était l'occasion idéale pour assassiner les deux Français.

«Sinnisiak jugea le moment propice. Il murmura quelques mots à l'oreille d'Oulouksak, et tous deux se débarrassèrent du harnais.»

«Sinnisiak passa derrière le traîneau, mais le père Leroux, mis en plus grande défiance, le suivit du regard.»

Voyant que le Français le suivait du regard, l'Inuk usa d'un stratagème destiné à faire dévier le regard du pudique prêtre. Il fit mine de défaire son pantalon «comme pour satisfaire un besoin naturel. C'est au moment où le prêtre détourna les yeux que le scélérat se rapprochant de lui vivement, le frappa de son grand coutelas dans le dos.»

À partir de ce moment, tout se déroula très vite. Le blessé se précipita en avant, en poussant un cri. Mais dès qu'il eut dépassé l'avant du traîneau, Oulouksak, à son tour, se jeta sur lui, pendant que Sinnisiak hurlait comme un loup enragé:

— Achève-le! Moi, je vais m'occuper de l'autre!

Grièvement blessé dans le dos, Guillaume Leroux saisit les épaules de son agresseur et fit appel, mais en vain, à sa pitié. Sourd à ses supplications, Oulouksak lui porta deux coups de couteau, le premier dans les entrailles, le deuxième dans le cœur.

Aux cris de détresse de son concitoyen, Jean-Baptiste Rouvière était accouru dans la tourmente de neige, pour voir Guillaume, frappé à mort, s'effondrer sur le sol. Il comprit alors qu'il était trop tard et se retourna pour tenter désespérément de s'enfuir loin de ces animaux féroces et de disparaître à la faveur de la tempête de neige. Mais Sinnisiak s'élança immédiatement à sa poursuite avec la carabine de chasse trouvée dans le traîneau des deux jeunes prêtres. Il le rejoignit au bord d'une rivière gelée, à quelques dizaines de mètres de là, tira une première balle qui se perdit dans la neige, puis une deuxième qui atteignit le Français dans les reins. Le blessé tomba assis sur le sol, luttant de toutes ses forces pour retenir la vie qui commençait déjà à s'échapper de son corps agonisant.

Les deux Inuit s'approchèrent de lui:

— Achève-le, cria Sinnisiak.

Oulouksak, toujours armé du grand coutelas encore rouge du sang du père Leroux, s'agenouilla auprès de Jean-Baptiste Rouvière qui le regardait s'approcher sans pouvoir esquisser le moindre geste de défense, et lui plongea la lame dans le flanc.

Le Français s'effondra alors sur le dos et resta ainsi. Il respirait encore faiblement. Ses lèvres remuaient un peu, soit pour tenter de retrouver le souffle, soit dans une dernière prière à Dieu. Il se passa alors un fait horrible. Effrayés de voir remuer «les lèvres d'un mort», les deux assassins se précipitèrent vers le traîneau des missionnaires pour prendre la hache qui s'y trouvait, et revinrent en toute hâte vers le mourant afin de lui couper les jambes, les mains, et enfin la tête.

Puis, — cruauté sans nom! — déchirant les entrailles palpitantes, Oulouksak en arracha une portion du foie, et les deux monstres en mangèrent. Ayant jeté le corps du père Rouvière dans un ravin, ils retournèrent au père Leroux, l'ouvrirent et lui dévorèrent pareillement le foie...:

De retour au camp, ils annoncèrent à Kormik qu'ils avaient liquidé les Blancs.

Dès le lendemain, une partie du village vint sur les lieux du crime, les uns pour piller ce qui restait, et les autres, comme le vieux Koha, pour se lamenter et voir «comment étaient morts les bons Blancs.» «J'étais très triste de la mort des bons Blancs, déclara Koha aux policiers, et je voulus aller les voir. En arrivant, j'aperçus le corps d'un homme sans vie, à côté du traîneau: c'était Ilogoak[12], et je me mis à pleurer. Je ne vis pas Kouliavik[13]. La neige recouvrait le visage d'Ilogoak, laissant le nez à découvert: il était étendu sur le dos, la tête relevée. J'aimais beaucoup les bons Blancs. Ils étaient très bons pour nous...»

○

Le 3 juin 1916, le gendarme Wight de la Police Montée se porta sur les lieux du drame situés à 30 km de l'océan Glacial Arctique, sur la rive gauche du fleuve

---

12. Nom inuit du père Leroux.
13. Nom inuit du père Rouvière.

Coppermine, à trois lieues à peine en amont de la Chute du Sang.

Wight trouva quelques restes humains, un os maxillaire inférieur avec encore toutes les dents. Mayouk, le guide déclara qu'il appartenait au père Leroux. Vingt mètres plus loin, Wight put voir l'emplacement exact où le père Leroux était mort, «marqué par les griffes des animaux carnassiers et par de nombreuses esquilles d'ossements tombées de leur gueule». Les Inuit ne s'étaient même pas donné la peine de protéger les corps de la dent du loup ou du renard[14].

Le corps de Jean-Baptiste Rouvière, pour sa part, reposait par deux mètres de fond dans une excavation creusée par un petit affluent de la Coppermine. Ce fut, du moins, ce que Mayouk déclara au policier enquêteur. Pris par le temps et sans outil, ce dernier ne put récupérer la dépouille prise dans un bloc de deux mètres de glace et d'argile gelée.

Wight se contenta de confectionner deux croix avec les planches du traîneau et de les planter à l'emplacement précis où les crimes avaient été perpétrés.

○

L'arrestation des deux criminels ne se réalisa pas sans difficulté. Sachant que tôt ou tard, ils devraient

---

14. «Les Inuit n'enterrent pas leurs morts. Ils les protègent seulement contre les carnassiers. Mais ces deux Blancs n'étaient pas des «hommes» (Inuit); et, dans la circonstance, ils avaient tout intérêt à ce que les cadavres disparaissent entièrement.» (Note à l'auteur d'un missionnaire de la région; janvier 1989.)

rendre compte de leur forfait aux autorités, ils avaient, depuis longtemps déjà, disparu dans la nature.

Sinnisiak s'était réfugié au milieu de la grande île de Victoria dans l'Archipel Arctique canadien, où le caporal Bruce, de la Police Montée, le retrouva et l'arrêta le 15 mai 1916. L'assassin n'opposa aucune résistance, contrairement aux prévisions.

Le 23 du même mois, Lanauze, qui s'était lui-même lancé à la poursuite d'Oulouksak dans une île du Golfe du Couronnement, lui passa les menottes en lui demandant s'il savait pourquoi il l'arrêtait:

— Oh oui, je le sais très bien, répondit le complice. Est-ce que vous allez me tuer?

O

Le 19 mai 1917, Lanauze, le' caporal Bruce et l'interprète Ilvarnic, qui avaient séjourné quelque temps, avec les deux criminels, à la caserne de la Police Montée de l'île Herschel, quittèrent cette île à destination d'Edmonton où ils arrivèrent le 10 août 1917. Le procès devait se dérouler dans cette ville, le 14 du même mois.

C'était le premier procès criminel pouvant mener des Inuit canadiens à la peine capitale. Mais, à la stupéfaction générale, Sinnisiak et Oulouksak furent déclarés NON COUPABLES pour le meurtre des deux missionnaires français.

Habituellement, les crimes de sang étaient toujours sanctionnés par la mort. Or, dans ce cas précis, les assassins bénéficièrent de circonstances atténuantes non écrites, et même non énoncées, mais qui planèrent continuellement au dessus du juge et du jury comme des oiseaux de mauvais augure. En effet, à cette époque, les Canadiens français de ces contrées lointaines étaient victimes de persécution de la part des populations anglo-saxonnes des Plaines de l'Ouest. À plus forte raison dans ce cas qui impliquait des prêtres catholiques.

Pourtant le scandale de l'acquittement déclencha un tel tollé de protestations dans une fraction de la population, que les accusés furent immédiatement transférés à Calgary, plus au sud, afin d'y subir un nouveau procès devant un autre jury que l'on espérait plus objectif.

Le 22 du même mois, après un procès de deux jours, les tueurs furent enfin trouvés coupables de l'assassinat des deux Français, ce qui entraînait théoriquement la peine de mort. Mais le jury s'empressa d'ajouter que, bien que coupables du crime, il recommandait la plus grande indulgence pour les assassins.

Mgr Breynat, Vicaire apostolique du Mackenzie et supérieur hiérarchique des deux victimes, adressa lui aussi une supplique au ministre de la Justice du Canada, le priant de commuer la peine de mort. Voulant absolument sauver leur âme, il demanda même que les deux prisonniers lui fussent confiés «afin qu'il pût leur faire comprendre la beauté de la religion catholique, dans ses institutions, ses missionnaires, et sa miséricordieuse indulgence.»

La demande reçut immédiatement l'accord du Gouvernement. Les sentences du 28 août furent commuées dès le 4 septembre en emprisonnement à vie. Ce jour même, les deux détenus, tout heureux de s'en tirer à si bon compte, furent ramenés dans le

Grand Nord afin d'y subir leur peine «sans chaînes ni verrous» à l'île Herschel.

En 1919, moins de deux ans après la condamnation, le bon Mgr Breynat, jugeant sans doute la conversion totale, obtint l'annulation pure et simple de toute peine et le renvoi des deux assassins «dans leurs foyers» de la Coppermine.

Quelques mois après cette libération, au cours d'une enquête effectuée au même endroit à l'occasion d'un double assassinat, le caporal Bill Doak de la Police Montée et un gérant de la Compagnie de la Baie d'Hudson furent abattus par un autre Inuk qui pensait, lui aussi, s'en tirer sans trop de mal. Ironie du sort, juste avant de commencer cette fatale enquête, le caporal Doak avait confié à l'explorateur d'Arcy Arden: «Depuis que Sinnisiak et Oulouksak, après avoir massacré les deux prêtres et mangé leur foie, ont gagné un voyage d'agrément à Calgary pour y voir les belles lumières et les salles de cinéma, puis se sont retrouvés deux ans à l'île Hershel pour y servir d'interprètes à la Police Montée, je m'attendais au pire. Ils sont revenus chez eux avec des caisses de vêtements, des carabines et des munitions; ça leur a donné un prestige extraordinaire parmi les Cogmollocks. Maintenant, ces Inuit semblent penser que tout ce qu'il leur reste à faire pour se payer du bon temps... c'est de planter un couteau dans l'estomac de quelqu'un[15].»

Mais cette fois les assassins du policier et du gérant de la CBH furent pendus.

---

15. Cité par Philipp H. Godsell dans *The Montie and The Stone-Age Murderers.*

○

Pourtant les familles des deux missionnaires, à Antrénas et à Plomordiern, ne pleurèrent pas totalement en vain. Du moins si l'on regarde ces sacrifices sous l'angle de leur apostolat. Huit ans après la disparition des deux Oblats, la tribu[16] de Sinnisiak et d'Oulouksak demanda des missionnaires.

○

Les pauvres restes des deux Français morts pour leur idéal spirituel — ossements, calice, bréviaires, soutanes, croix d'oblats, nappe d'autel ensanglantée — sont aujourd'hui conservés comme des reliques par les Oblats d'Edmonton dans une pièce appelée Salle des Martyrs.

Deux nouveaux missionnaires oblats, les pères Frapsauce et Falaize, aux noms bien normands, s'offrirent pour aller remplacer les victimes dans la Coppermine. Le premier d'ailleurs devait lui aussi y mourir après quelques mois seulement d'apostolat. Il tomba sous la glace trop fragile d'une rivière et mourut ainsi, loin de tout. Son nom alla s'ajouter à la longue liste des Oblats victimes du devoir accompli.

En 1937, un grand concours littéraire fut organisé à travers la province de Québec afin de commémorer le vingtième anniversaire du martyre des deux

---

16. Tribu est utilisé par défaut, car les «bandes» inuit ne portent pas ce nom.

apôtres. Les œuvres des lauréats des cinq genres littéraires (récit, radio-drame, drame, récit en prose rythmée et dissertation) furent publiées en 1939[17].

○

Quant à Ilvarnic, l'interprète qui avait permis l'arrestion des assassins, le Grand Commissaire de la Police Montée demanda qu'il fût «adéquatement récompensé» pour son aide précieuse.

Il reçut donc une montre en or.

---

17. «Martyrs aux glaces polaires». Voir Tremblay dans la bibliographie.

Ogopogo, le monstre des Hauts-Plateaux du Fraser

Les touristes qui traversent les Montagnes Rocheuses ne manquent jamais d'aller rendre une petite visite de courtoisie au célèbre monstre local, le terrible Ogopogo. Il vit dans le magnifique lac Okanagan aux eaux émeraude, et ne sort que la nuit pour perpétrer ses méfaits. De sorte que, de mémoire d'homme, personne ne l'a jamais vu.

De ce fait, en ce chaud mois d'août 1982, certains habitants de la petite ville de Kelowna ne voyaient plus dans leur monstre qu'un moyen agréable d'attirer les touristes, comme les Écossais des rives du Loch Ness. Paradoxalement, la peur et l'horrible fascinent toujours l'esprit, même des âmes les plus paisibles.

En ce mois d'été, donc, le monstre des Hauts-Plateaux allait faire parler de lui, et les plus incrédules seraient bientôt obligés de cesser de mettre son existence en doute.

Le 7 août, une voiture de vacanciers pénétra dans le parc provincial Wells Gray, à une centaine de kilomètres au nord de Kamloops. Robert Johnson, 44 ans, conduisait une Plymouth beige de l'année 1979, dans laquelle avait pris place son épouse Jacqueline, 40 ans, de même que ses deux filles Janet 13 ans et Karen 11 ans.

Robert Johnson, un employé de scierie de Westbank, près de Kelowna, avait décidé de s'adonner aux plaisir du camping sauvage durant ses deux semaines de congé payé. Il venait retrouver ses beaux-parents au parc Wells Gray. Ceux-ci, Georges et Edith Bentley, âgés respectivement de 66 et 59 ans, venaient de prendre leur retraite. Ils avaient vendu leur villa, afin de vivre une vie nomade dans une confortable camionnette de camping. Ils s'étaient promis toute leur vie de profiter de leurs vieux jours pour visiter les merveilleux paysages canadiens. Les lois sociales n'ayant pas encore accordé aux employés de notre continent le mois de congé annuel dont jouissent depuis longtemps les Européens, les Canadiens doivent se contenter de deux semaines de congé payé, et de trois au maximum lorsque le patron se montre généreux et compréhensif. Comment visiter les confins de notre grand pays en si peu de temps?

Les retrouvailles des deux familles furent empreintes de joie. Les fillettes érigèrent immédiatement leur tente, fort heureuses de coucher à la belle étoile, quoique un peu épouvantées à l'idée que des ours bruns, ou grizzlis, pouvaient venir leur rendre une visite imprévue. Les parents pour leur part allaient dormir dans le «camion-campeur», une camionnette Ford rouge et argent, toute neuve, sur laquelle Georges Bentley avait fixé un module de camping dernier cri équipé de tout ce que le confort moderne peut offrir.

Le soir venu, pendant que Belle-Maman Bentley préparait le repas sur la cuisinière à gaz, les enfants ramassaient des branches mortes pour alimenter le feu de camp de fin de soirée. Devant les tentes, les deux hommes avaient dressé une table et dégustaient tranquillement une bière en boîte tout en devisant doucement sur les avantages de pouvoir mener cette vie idyllique. Or, tandis qu'ils parlaient en humant l'odeur des biftecks, des yeux froids et calmes, cachés dans l'épaisse forêt, observaient silencieusement tous ces vacanciers inconscients du danger.

Mais, ce premier soir, il ne se passa rien. Ce ne fut que le lendemain, lorsque les yeux froids revinrent.

○

Le 30 août, M. Gorman, patron de l'entreprise Gorman Bros Lumber Ltd. de Kelowna, revint de vacances et serra la main de ses employés.

— Où est Bob[1]?

— Il n'est pas revenu de son congé, répondit l'un d'eux. On l'attendait la semaine dernière. Il n'a même pas téléphoné.

— Il doit lui être arrivé quelque chose. Ça fait 25 ans qu'il travaille ici. Il ne s'est jamais absenté sans m'avertir.

— Il faut signaler ça à la Police Montée!

Immédiatement et avec l'aide de la radio et de la télévision locales, la Gendarmerie Royale du Canada organisa des recherches gigantesques dans tous les azimuts, afin de découvrir des indices. Des avions d'observation et des hélicoptères survolèrent de vastes espaces forestiers. Des équipes de chercheurs ratissèrent la région et passèrent au peigne fin près de 14 000 km^2. Pour fouetter les énergies, une importante prime de 7500 $ fut promise à celui qui découvrirait des indices.

Le sergent Frank Baruta commandait la brigade de Gendarmerie de Clearwater. De ce fait, il coor-

---

1. Robert Johnson.

donnait les opérations. Il essaya d'échafauder toutes les hypothèses possibles.

D'abord, il fallait exclure toute disparition volontaire, car Robert Johnson n'avait été absent que trois fois en 25 ans. Il n'était pas homme à ne pas avertir son entreprise. Une noyade paraissait invraisemblable. Les Bentley transportaient bien une barque en aluminium sur le toit de leur module de camping, mais sa taille — trois mètres de long — ne permettait pas de transporter les six personnes à la fois. Aussi y aurait-il eu nécessairement des survivants qui auraient donné l'alerte.

En cas d'attaque-surprise par des animaux féroces, ours, loups ou cougars, les voitures au moins auraient été retrouvées. Baruta tenta même de consulter des tireuses de cartes, des radiesthésistes et autres voyants extralucides qui, à leur tour, interrogèrent soigneusement leurs boules de cristal, leurs pendules et leur marc de café. Certains évoquèrent des glissements de terrain monstrueux, des canyons mystérieux, et en arrivèrent même à soupçonner quelque OVNI.

Bien sûr, et fort malheureusement, personne ne pensa au monstre des Hauts-Plateaux, l'Ogopogo, qui, pourtant, était seul capable d'engloutir six personnes, deux véhicules et une barque en aluminium.

Vers la fin du mois d'août, deux jeunes gens faisaient de l'équitation dans les bois du parc provincial Wells Gray. Ils tombèrent tout à fait par hasard sur une carcasse de Plymouth brûlée et dissimulée dans d'épaisses et longues broussailles. S'ils l'avaient examinée de plus près, ils auraient distingué six corps carbonisés à l'intérieur; mais leur curiosité ne les poussa pas jusque-là. Ignorant qu'ils étaient en présence de la voiture des Johnson, ils ne se pressèrent pas de signaler leur trouvaille à la G.R.C.

Le 9 septembre, enfin, un ami des deux cavaliers apprit cela et s'empressa de rapporter la nouvelle aux autorités. Entre-temps, le 2 du même mois, un autre vacancier, qui ramassait des mûres dans le parc, tomba lui aussi sur l'épave brûlée. De retour chez lui dans une petite ville située à 200 kilomètres de là, il communiqua la nouvelle à la brigade locale qui classa par erreur le procès verbal au lieu de le transmettre à la brigade de Clearwater.

Vers le 10, pourtant, le sergent Baruta apprit l'importante nouvelle et déclencha une opération de recherche sur les lieux. Mais l'incroyable densité de la végétation fit échouer la tentative. Ce ne fut que le 13, donc cinq semaines après la disparition, que, sous la conduite du ramasseur de bois réquisitionné, l'épave put enfin être localisée.

La voiture avait été brûlée à 500 mètres d'un chemin forestier. L'assassin avait entassé les six corps dans la partie arrière de la grande voiture. Après quoi, il avait arrosé l'ensemble d'essence avant d'y mettre le feu. L'amas charbonneux des corps calcinés et rétrécis fut extrait avec grand soin du véhicule, et transporté à l'Hôpital Royal Colombien de New Westminster afin d'être examiné par des médecins légistes.

Quelques balles, logées dans les crânes des victimes, laissaient supposer qu'elles n'avaient pas été brûlées vives. Mais de fait, l'identification réelle des corps se révéla presque impossible.

○

L'horrible découverte rapportée immédiatement par la presse écrite et électronique jeta la consternation et l'horreur à travers la population canadienne. Qui pouvait avoir commis un acte aussi barbare?

Les divers corps policiers, répartis à travers les dix provinces, unirent leurs efforts pour trouver la clé de l'énigme. Sans résultat.

Enfin, le 25 septembre, la Police Montée, harcelée par les journalistes, fit savoir qu'elle recherchait un camion-campeur Ford, argent et rouge, immatriculé en Colombie-Britannique. Conduit par deux jeunes Canadiens français du Québec, ce véhicule avait été aperçu d'abord à North Battleford (Saskatchewan) roulant en direction de l'est, donc du Québec. On l'avait remarqué quelques jours plus tard à Saskatoon, et ensuite tout le long du chemin jusqu'à Winnipeg (Manitoba).

Les journaux précisaient bien que «des témoins avaient vu les deux Québécois conduire le véhicule des Bentley». Immédiatement s'organisa la chasse aux Canadiens français jeunes et barbus, en route pour le Québec. Beaucoup furent arrêtés, contrôlés et relâchés à regret, faute de preuves. À Montréal même, la police locale, atteinte par la psychose, pensa avoir identifié l'assassin dans un individu qui avait enlevé une fillette de 14 ans, Céline Marchand.

Dans son repaire des Rocheuses, le monstre des Hauts-Plateaux ricanait. Il avait, comme tout le monde, recherché les victimes dans les bois épais; et chaque jour, en trinquant avec des amis il discutait de l'horrible assassinat, vouant lui-même aux gémonies et à la potence les assassins, ces *bloody Frenchmen*[2].

Une année entière passa dans la colère ou la morosité. La Police Montée avait reconstitué un camion-campeur absolument semblable à celui des victimes. Elle le promenait sur la route transcanadienne, interrogeant chaque pompiste et chaque épicier. Les enquêteurs priaient et suppliaient les commerçants de fouiller dans leurs souvenirs même les plus vagues. On savait bien que, si l'on retrouvait la camionnette, le ou les assassins ne seraient pas loin. Hypothèse parfaitement exacte, comme le prouva la suite de ce macabre récit.

○

Finalement, le 18 octobre de l'année 1983, soit 13 mois après la découverte de la voiture brûlée, deux travailleurs forestiers, Peter Miller et Doug Kehler tombèrent sur une épave de camion-camping Ford. Le véhicule avait été précipité dans un ravin boisé avant d'être incendié. Les deux hommes effectuaient des travaux de stabilisation des sols dans le parc provincial Wells Gray.

Au début, la police se montra sceptique. Et pour cause; l'épave qui s'apercevait d'avion se situait à moins de 30 km du site où avaient été découverts les six cadavres carbonisés. L'inspecteur Victor Edwards, de Kamloops, qui avait pris l'affaire en main, déclara d'un air fort embarrassé qu'il allait réorganiser les plans de recherche dans les zones boisées. Il

---

2. Maudits (Canadiens) français.

ajouta, sur un ton qui se voulait convaincant que les «deux Canadiens français étaient encore soupçonnés d'avoir commis l'horrible forfait, puisque des témoins les avaient vu conduire le camion des Bentley après la disparition des deux familles»!

Mais les habitants de Clearwater n'y croyaient plus et commençaient à s'observer les uns les autres avec des airs soupçonneux. Les policiers, pour leur part, enveloppèrent la carcasse rouillée dans une immense bâche de plastique orange. Un puissant hélicoptère Sikorsky S-61 la souleva délicatement afin de la transporter à Vancouver, à 350 km de là, où se situait le laboratoire de la Police Montée.

Noirci par les flammes, le camion-campeur ultra-moderne avait pris l'aspect d'un vulgaire tas de ferraille. Les vitres, fondues par la chaleur infernale, laissaient supposer que l'assassin avait utilisé une essence extrêmement puissante; un type de carburant à base de naphte habituellement destiné aux réchauds et aux lampes de camping. Bien entendu, il n'était plus question de relever la plus légère empreinte digitale ni les moindres fibres ou cheveux.

Malgré sa déclaration qui n'innocentait pas officiellement les deux hypothétiques vagabonds canadiens français, l'inspecteur Edwards lança une vaste opération de recherche dans la région de Clearwater.

Beaucoup, parmi les 6000 habitants assez dispersés, reçurent des questionnaires extrêmement précis sur des sujets se rapportant aux meurtres multiples. Les résidents qui possédaient des casiers judiciaires devaient minutieusement décrire leurs allées et venues au moment des faits. Quant aux commerçants, on leur demandait de tenter de se rappeler si un individu n'avait pas essayé de vendre d'occasion une barque en aluminium. Celle des

Bentley n'avait pas été retrouvée. L'ensemble de la population se voyait aussi invitée à ouvrir l'œil afin de noter toute modification dans le comportement des personnes de leur voisinage. Toute la région se guettait avec une minutie d'autant plus empressée et soupçonneuse que le crime paraissait atroce.

La télévision locale tenta aussi d'apporter sa contribution en reconstituant le meurtre avec l'aide de la Police Montée. Des centaines d'appels téléphoniques inondèrent immédiatement les services de la Gendarmerie royale. Chacun pensait avoir découvert le coupable. Mais il fallut bien se rendre à l'évidence; l'enquête continuait de piétiner désespérément.

Puis, le 22 novembre 1983, un des policiers chargés d'étudier les lettres et les rapports relatant les coups de téléphone, tomba en arrêt devant un bout de phrase:

«...mon voisin et ami, David William Shearing... m'a demandé, un soir de l'année dernière, si on pouvait faire immatriculer un camion-campeur d'occasion, dépourvu de plaques minéralogiques, et surtout s'il était possible de fermer, par des soudures, des trous dans la tôle d'aluminum de ce même camion-campeur...»

Le jour même, la police arrêtait l'homme qui n'allait pas tarder à avouer son horrible crime.

O

Et pourtant, le jeune David Shearing, 24 ans, n'avait apparemment rien d'un assassin. Tout le monde le décrivait comme un garçon calme, timide même, tranquille et intelligent. Toujours poli et même

courtois, il affichait cependant un abord plutôt ren-
fermé, introverti. Il ne parlait jamais à un inconnu à
moins qu'on ne lui adressât la parole.

Après avoir terminé ses études secondaires en
1977, il avait étudié durant un an la mécanique sur
machines-outils. Par la suite, il n'avait jamais montré
une grande stabilité. Il changeait très souvent
d'emploi.

Qui pourrait expliquer par quel mystère, par quel
horrible bouleversement mental, cet homme, qui avait
toujours été très respectueux de la loi, s'était retrouvé dans un buisson à observer les familles Johnson et Bentley en cette chaude soirée d'août 1982?
Mais ce soir-là, Shearing était reparti sans aller
jusqu'au bout de son crime. Les six vacanciers qui
vaquaient à leurs agréables occupations ne se doutaient pas que la mort en personne les guettait
d'aussi près.

Pourquoi voulait-il les tuer? Il a toujours refusé
de répondre à cette question qui lui fut maintes fois
posée. Était-ce simplement pour voler le camion-
campeur? Il aurait facilement pu en dérober des
dizaines dans les rues de Clearwater sans tuer qui
que ce fût.

Il revint donc le lendemain aux environs de
minuit. Ses grosses mains serraient une carabine de
calibre 22 long-rifle semi-automatique. Il observa un
instant le campement illuminé par une lampe tempête
éblouissante contre laquelle venaient se brûler d'innombrables papillons de nuit. Les quatre adultes
causaient paisiblement devant les braises encore rou-
geoyantes d'un feu de camp.

Soudain, comme un automate, il franchit le Rubi-
con, épaula et tira successivement sur les deux
hommes, puis sur les deux femmes terrorisées. Lors-

que les adultes eurent cessé de bouger, il se dirigea vers la tente où les enfants commençaient à se réveiller, tira la fermeture éclair et, à bout portant, déchargea ses dernières cartouches sur les deux fillettes.

Ceci fait, il empila non sans mal les six cadavres à l'arrière du vaste habitacle de la Plymouth des Johnson après avoir prélevé les trousseaux de clés dans les poches des deux hommes. Puis, il se mit au volant de la voiture et roula quelques minutes dans des chemins forestiers totalement déserts. Lorsqu'il atteignit l'extrémité de l'un d'eux, il entra délibérément dans la forêt et roula sur une distance d'environ 500 mètres à travers les bois. Il devait très souvent descendre du véhicule afin de dégager le passage en déplaçant de grosses branches mortes.

Lorsque la voiture eut atteint un endroit pratiquement impénétrable, le tueur rebroussa chemin à pied et rejoignit le campement. En un tournemain les tentes et le matériel de camping furent entassés dans le camion-campeur qu'il conduisit jusqu'à son chalet forestier de vacances, à quelques kilomètres de là. Puis il revint à pied prendre sa propre voiture stationnée à peu de distance de l'ancien campement.

Dès le lever du soleil, il empoigna d'une main un jerrican d'essence prélevé dans le réservoir du camion, et de l'autre un gros bidon de naphte destiné à l'origine à faire fonctionner le réchaud et la lampe-tempête. Armé du combustible, il retourna auprès de la sinistre Plymouth. Il répandit une grande partie du carburant sur les cadavres, en prenant soin de bien imbiber les corps des pieds à la tête. Les deux enfants, qui restaient coincés entre le siège arrière et le dossier avant, baignaient dans une profonde mare de liquide jaune.

Il arrosa ensuite la carrosserie de la voiture et, prenant prudemment du champ, lança de loin une allumette enflammée. La Plymouth prit feu en un éclair avec un sourd «Flouff!»

Lorsqu'il eut parcouru 200 ou 300 mètres, il entendit une puissante déflagration. Ses victimes brûlaient dans l'air frais matinal.

Quelques jours plus tard, la police lança la plus grande battue de l'histoire moderne du Canada. L'assassin réalisa alors que la présence chez lui des pièces à convictions, que constituaient le camion et le matériel de camping, représentait un énorme danger pour lui; même au centre de la grande forêt canadienne. Il déchargea donc la barque en aluminium qu'il alla perdre quelques mois plus tard au plus épais d'un fourré, et précipita le camion dans un ravin avant de lui faire subir le même sort qu'à la voiture: la destruction par le feu. Outre la barque, il avait aussi gardé un moteur hors-bord, des outils et un magnétophone ayant appartenu aux victimes.

Malheureusement pour sa tranquillité personnelle, il avait déjà commis l'imprudence de poser à l'un de ses rares amis la question fatidique; celle qui allait le perdre.

○

Son procès se déroula à Kamloops, à la mi-avril 1984. Après avoir longuement hésité, l'avocat de la Couronne, Robert Bruneau, demanda six fois la prison à vie pour ces six meurtres «du 2e degré[3]»,

---

3. Meurtre non prémédité.

car, selon le Code canadien, il était impossible de prouver la préméditation.

Le juge décida aussi que sa libération condition-nelle ne pourrait avoir lieu avant vingt-cinq ans, soit l'an 2008. Il aurait alors 49 ans.

Fort prévoyant, le juge McKay lui interdit toute possession d'armes de 2008 à 2013.

○

Mais personne n'a encore compris, en Colombie-Britannique, comment un homme qui semblait tout à fait normal a pu commettre un tel acte.

Quand le Ku Klux Klan persécutait les Canadiens français

La fin du XIXᵉ siècle et surtout le début du XXᵉ furent marqués, au Canada, par un furieux combat culturel entre Francophones et Anglophones. Il s'agissait de savoir si les immenses territoires de l'Ouest canadien parleraient français ou anglais.

Fort de l'appui du ministère des Colonies de Londres, le Gouvernement d'Ottawa réussit presque à tarir l'immigration française, tandis qu'un immense effort de propagande s'exerçait à travers l'Europe afin de susciter la venue d'immigrants qui iraient grossir les rangs des colons anglais. Oui, l'Ouest parlerait anglais!

Non contents de freiner l'installation de nouveaux venus, certains groupes plus ou moins officiels, exercèrent une dure et constante pression afin de décourager les Français qui avaient déjà fait souche dans l'Ouest. Pendant que la France pleurait ses millions de tués de la Grande Guerre, le Canada se couvrait de cellules du Ku Klux Klan, prêtes à tout pour «écraser l'infâme French.»

Introduit au Canada dans les années 1920, le KKK dévoila son « programme» canadien dans le *Daily Star* de Montréal:

«Bien que nous soyons anti-juifs et
anti-nègres, nos interventions ne
se borneront pas à ces sectes ou couleurs.»

En 1924 et 1925, des croix du Klan commencèrent à illuminer de leurs flammes infernales les Provinces Maritimes. En Ontario, le KKK comptait déjà 1100 membres en mai 1925, mobilisés contre les Canadiens français. En Saskatchewan, cette organisation rallia des dizaines de milliers de fanatiques dans ses 125 cellules, et renversa le gouvernement libéral de la province tout en favorisant le parti conservateur.

En juin 1927, 7 à 8000 Klansmen en cagoules blanches se réunirent dans la ville de Moose Jaw (Saskatchewan). Au cours de cette grandiose cérémonie, ils réduisirent plusieurs croix en cendres en proférant des invectives anti-françaises.

Un an plus tard, un congrès réunit 2000 Klansmen dans la capitale même, Regina, Grand quartier général de la Police Montée fédérale, laquelle ne vit d'ailleurs aucune bonne raison d'empêcher cette manifestation raciste, étant donné les liens étroits qui unissaient le parti au pouvoir et l'organisation terroriste. Walter Cowan, trésorier du KKK, en avait profité pour se faire élire député conservateur à Ottawa!

En mai de la même année (1928), 1500 cagoulards assistèrent, à Regina encore, à une cérémonie au cours de laquelle une gigantesque croix de 25 mètres de haut se consuma, pleine de menace, dans la nuit chaude de la capitale saskatchewane. Le lendemain, ce furent deux croix qui embrasèrent de leurs sinistres et terrifiantes flammes le ciel de Melfort, devant une foule de 5 à 10 000 fantômes blancs encadrés de dignitaires drapés de pourpre.

Malgré la terreur bien compréhensible inspirée par ces chevaliers de l'Empire encapuchonnés de blanc et brandissant d'immenses drapeaux britanniques surmontés du slogan: «Une seule langue: l'anglais», malgré la peur qui terrorisait les Francophones de l'Ouest, le combat continua avec courage, détermination et héroïsme pour l'obtention des droits scolaires et linguistiques fondamentaux.

À peine la guerre européenne se fut-elle éteinte, que la lutte inégale reprit avec rage en Alberta et dans tout l'Ouest. L'archevêque canadien-français d'Edmonton mourut en 1920. Un Irlandais fut immédiatement nommé à sa place, afin de porter l'estocade mortelle à ses coreligionnaires francophones.

Mgr O'Leary commença aussitôt une active campagne de recrutement de prêtres irlandais, dans les Maritimes et ailleurs, afin d'éliminer le clergé français qui dirigeait 64 des 98 paroisses de l'archidiocèse d'Edmonton. Les Francophones protestèrent, mais leurs récriminations se perdirent dans les vastes Plaines de l'Ouest. La vie culturelle étant active au niveau des paroisses, Mgr O'Leary voulait ainsi tuer le français à la base. En dix ans d'efforts, cet archevêque réussit à réduire le nombre de prêtres francophones de 64 à 16, et à remonter d'autant la proportion d'Irlandais anglophones. Privée de ses leaders, la communauté française périclita.

De concert avec Mgr O'Leary, le Ku Klux Klan luttait de toutes ses forces pour annihiler les Canadiens français. Mais cette organisation criminelle ne se contentait pas de brûler des croix pour intimider et terroriser. Les récalcitrants étaient l'objet d'attaques plus directes, de menaces, de voies de fait, de destructions de biens par le feu et parfois de crimes de sang. Les enquêtes ne donnaient jamais aucun résultat. Bien entendu!

O

Un des méfaits les plus terrifiants perpétrés par le Ku Klux Klan contre les Francophones de l'Ouest canadien fut, selon la tradition, l'incendie du Collège de Saint-Boniface, au cours de la nuit du 24 au 25 novembre 1922.

Cet édifice, gigantesque et d'une architecture admirable, était le haut lieu de la culture française dans le Grand Ouest. Il permettait aux jeunes Francophones, métis-français ou canadiens-français, de poursuivre dans leur langue des études secondaires et supérieures, sans être obligés de s'expatrier vers le lointain Québec.

Malheureusement, les coupoles de cuivre de ce joyau architectural semblaient un défi permanent aux idéaux des fanatiques du Klan. Pourtant, en 1922, la langue anglaise était si bien établie dans l'Ouest canadien que les Francophones n'y représentaient déjà plus qu'une petite minorité parmi tant d'autres; culturellement un peu plus active. Mais c'était encore trop.

Inauguré en 1880, le grand Collège de Saint-Boniface était, au moment de sa construction, le plus bel édifice de l'Ouest. Son modernisme défrayait la chronique puisqu'il fut équipé du premier service d'aqueduc des Prairies canadiennes, à une époque où toutes ces régions étaient encore parcourues par des tribus indiennes plus ou moins hostiles.

Cet édifice remplaçait le vieux collège, construit en 1855, mais devenu trop petit étant donné l'explosion démographique que connaissait la région.

Le collège s'était affilié en 1871 à l'Université du Manitoba, afin de conférer des titres universitaires à sa clientèle francophone. Dans ce haut lieu de culture, les élèves de philosophie faisaient valoir leurs talents chaque année devant un public choisi, dans une série de débats oratoires. Très souvent on y donnait des conférences ou des pièces de théâtre. C'est ainsi que, le 20 mars 1911, la troupe locale présenta *Athalie* de Racine. Ce n'était pas pour rien que l'on surnommait Saint-Boniface «le petit Paris des Plaines de l'Ouest». D'ailleurs, la rivière pleine de méandres, qui se glisse paresseusement à travers la ville, s'appelle...mais oui, la Seine. Mais celle-là va se jeter dans la rivière Rouge.

Les origines du vieux Collège lui-même avaient été plus modestes: une petite cabane érigée par Mgr Provencher en 1818, au tout début du XIXe siècle, afin d'instruire les Métis-Français et les Indiens.

O

En ce vendredi soir, 24 novembre 1922, alors que les externes du collège étaient retournés chez eux pour le week-end, les pensionnaires et les professeurs jésuites s'octroyaient quelque loisir après une laborieuse semaine de travail.

Comme chaque vendredi soir, les élèves passaient la soirée dans la grande salle de récréation. Les étudiants de philosophie avaient, comme d'habitude, sollicité de la part du préfet des études, le père Lacouture, l'autorisation de fumer. Mais, comme à l'ordinaire, ce dernier avait refusé. Il n'avait jamais accepté de laisser les élèves se livrer à ce passe-temps, qu'il jugeait dangereux, pas plus à l'intérieur que dans la cour de récréation.

Après la veillée qui se termina vers 22 h 30, les «philosophes» reçurent l'autorisation de prolonger leur soirée de trente minutes, afin de participer au «réveillon» traditionnel sous la surveillance d'un père.

Vers 23 heures, le frère-portier, Émile Lord, verrouilla la porte centrale du collège. Il se retira peu avant minuit dans sa chambre située au premier étage, non loin de celle du préfet de discipline.

S'il avait pu deviner ce qui se tramait dans la nuit, le frère-portier aurait certainement verrouillé les portes beaucoup plus tôt. En effet, en fin d'après-midi, une habitante du quartier, Mme Charles Loiselle, domiciliée au 15 de la rue des Autels, avait aperçu un individu posté tout près du collège. Dans cette petite ville, tout le monde se connaissait. Et cet inconnu, qui semblait se dissimuler, ne pouvait certes passer inaperçu, d'autant plus qu'il portait sur l'épaule un rouleau de corde de chanvre.

Effarouchée par cette présence mystérieuse, Mme Loiselle pressa le pas et rentra chez elle, afin de s'y enfermer à double tour. Mais quelle ne fut pas sa surprise, vers 22 heures le même soir, lorsqu'elle vit la même silhouette errer dans la nuit, dans les parages immédiats des massifs bâtiments de l'institution scolaire. Elle éprouva alors un étrange malaise qui ressemblait à un pressentiment; mais elle oublia vite cette ombre menaçante dans la sécurité de sa confortable maison.

Au troisième étage, dans le dortoir des Petits, le père Euclide Gervais éteignit la lumière à 23 heures. Il ne laissa qu'une veilleuse allumée et s'enferma dans son alcôve à rideaux après avoir vérifié la présence de tous les enfants.

Les 78 Grands, eux, se couchèrent un peu plus tard, vers 23 h 45; car, après le réveillon traditionnel, quelques-uns se réunirent au troisième étage afin de fumer une cigarette, malgré l'interdiction du supérieur. Le père Mongeau lui-même y assistait.

Puis le temps s'écoula. Peu avant 2 heures, le samedi matin, alors que les 138 élèves et les 18 professeurs dormaient paisiblement dans l'immense collège silencieux, une sourde déflagration, provenant des sous-sols, réveilla le père Bourque, supérieur du collège. Après avoir noté l'heure de sa montre, il enfila à la hâte sa soutane froissée et sortit dans le couloir du rez-de-chaussée. Noyée dans une épaisse fumée, toute la partie est du bâtiment brûlait comme un bûcher. L'explosion était trop récente pour avoir été à l'origine de l'incendie. Et d'ailleurs, l'enquête qui suivit prouva que, quinze minutes plus tôt, une jeune fille de seize ans domiciliée dans la rue d'Youville avait, par la fenêtre de sa chambre, aperçu des flammes dans un soupirail donnant au sous-sol du collège. Elle s'était levée à 1 h 30, car elle ne pouvait trouver le sommeil.

Lorsque le frère Émile Lord, le portier dont la chambre se situait au premier étage, arriva en soutane et pieds nus, le supérieur qui ne pouvait s'approcher des téléphones l'envoya immédiatement au poste de pompiers le plus proche afin d'y chercher du secours. Le frère partit sans prendre le temps de se chausser, courant à perdre haleine dans la neige crissante.

Pendant ce temps, les surveillants des dortoirs tiraient tant bien que mal les élèves de leur sommeil. Trouvant l'escalier plein de fumée, le père Gervais alluma la lumière dans le dortoir des Petits, et, afin de ne pas déclencher la panique, s'écria d'une voix forte mais calme:

— Levez-vous tous et habillez-vous aussi vite que possible!

Puis il entra dans sa chambre afin de se vêtir à la hâte. Soudain la lumière s'éteignit dans le dortoir. Il se dirigea alors vers l'escalier métallique de secours situé à l'extérieur, et appela les élèves. Le père de Varennes, son assistant, alla surveiller les enfants dans le dortoir voisin.

Lorsque les Petits eurent évacué dans le calme, il pénétra à nouveau dans le dortoir et lança quelques appels afin de vérifier s'il ne restait pas d'enfant à l'intérieur. Il ne reçut aucune réponse.

Pourtant l'enquête démontra que deux enfants, qui avaient leur lit près de la porte donnant accès à l'escalier de la tour, désobéirent aux ordres et descendirent par là. Leurs corps carbonisés furent retrouvés plus tard.

Dans le dortoir des Grands, le père Beaulac fut réveillé par la cloche qui sonnait l'alarme. Il alluma sa torche électrique, puis les lumières du dortoir. Alerté par l'odeur de la fumée, il réveilla les étudiants et leur enjoignit de s'habiller au plus vite et de se tenir prêts à évacuer le bâtiment. Il ouvrit la porte de l'escalier central, et, apercevant la fumée, décida de rester en faction sur place, afin d'empêcher les jeunes de prendre cette voie. C'est à ce moment-là que la panne de courant plongea le bâtiment dans l'obscurité la plus totale. Tous restèrent parfaitement calmes et, de ce fait, aucun étudiant du dortoir des Grands ne perdit la vie dans le sinistre.

Le père Beaulac pénétra alors avec sa torche électrique dans le dortoir des Petits et parcourut les rangées de lits. Un enfant dormait encore à poings fermés, perdu sous ses couvertures. En toute hâte. il l'arracha à son profond sommeil et l'entraîna vers l'escalier de secours avant de revenir dans le dortoir des Petits où la fumée âcre s'infiltrait rapidement. Soudain, il buta du pied dans le corps de deux enfants engourdis par la fumée. Lui même au bord de l'évanouissement, il les transporta au bas de l'escalier de secours et remonta une troisième fois dans le dortoir. C'est alors que, suffoquant, il entendit deux enfants qui criaient:

— Mon père, venez à mon secours!

Il se précipita au juger dans la direction des voix au milieu d'une fumée si dense qu'il devait se déplacer les bras tendus vers l'avant comme un aveugle. Il sentit bientôt qu'il allait perdre connaissance, aussi se résolut-il enfin à faire demi-tour vers l'escalier de secours. Il se proposait d'aller respirer quelques bouffées d'air frais avant de continuer ses tentatives de sauvetage. Mais ses forces l'abandonnèrent sur le palier métallique et il s'écroula sans connaissance. À son réveil, il reposait, étendu en sûreté sur le sol où une âme généreuse l'avait transporté. Dès qu'il eut suffisament retrouvé conscience, il se leva et s'élança à nouveau vers le brasier afin d'aller secourir les deux enfants dont son inconscient angoissé percevait encore les cris désespérés. Mais plusieurs personnes se précipitèrent pour le retenir. Il était trop tard.

Le père de Varennes accourut dans le dortoir des Petits pour prêter main forte et participa à l'évacuation. Il dut même frapper l'un des garçons qui n'osait pas s'aventurer dans l'escalier de secours.

Le vieux père Léo Renard, âgé de 80 ans, dormait au rez-de-chaussée lorsqu'il fut réveillé par le tumulte. Il s'habilla et bientôt un pompier cassa sa vitre afin de l'inviter à sortir. Un instant son esprit fut effleuré par le projet insensé d'aller chercher son chapeau au milieu de la fumée du couloir. Finalement il y renonça.

À l'extérieur, les pompiers, enfin arrivés sur les lieux, commençaient à lutter contre le sinistre avec des moyens ridiculement diminués.

Comme par un fait exprès, — et certains se sont très sérieusement demandés si ce n'avait pas été le cas — le camion muni de la grande échelle était momentanément hors d'usage. Un véhicule civil l'avait frappé deux ou trois jours auparavant. En attendant qu'il fût réparé, les pompiers de Winnipeg, la ville voisine, avait prêté un véhicule muni d'une échelle trop courte qui n'atteignait que les étages inférieurs du collège. Et bien qu'il eût suffi de traverser la rivière Rouge pour venir apporter leur concours aux pompiers de la française Saint-Boniface, les pompiers de l'anglaise Winnipeg n'intervinrent pas. Ils laissèrent se consumer le collège toute la journée du samedi.

○

Malheureusement, tous les élèves de l'institution scolaire ne dormaient pas dans les deux grands dortoirs. Certains, parmi les étudiants les plus âgés, disposaient de chambres disséminées un peu partout dans l'immense bâtisse.

Les professeurs, les pompiers et la population de Saint-Boniface, accourus à l'aide, avaient installé sur le sol, au pied des hautes façades, tous les matelas qu'ils avaient pu rassembler afin d'amortir la chute de ceux qui, debout sur les fenêtres des étages supérieurs et hors d'atteinte de l'échelle des pompiers, étaient acculés à sauter dans le vide.

Certains enfants frappés de panique s'étaient enfuis dans la bâtisse en dépit des ordres stricts des surveillants. Et on assista alors à de véritables actes d'héroïsme de la part des Grands qui essayaient de sauver leurs jeunes condisciples désespérés et fous de terreur.

Un jeune Saint-Bonifaçois de 18 ans qui avait pu s'échapper à plusieurs reprises, réussit à déposer plusieurs enfants sur un appentis de l'aile ouest. Un autre chercha son jeune frère jusqu'à épuisement de ses forces. En désespoir de cause, il sauta d'une fenêtre. Il s'en tira avec quelques contusions.

Hector Allard, un jeune de Sainte-Agathe, sauva lui aussi plusieurs enfants. Un autre se jeta dans le vide avec deux jeunes pensionnaires épouvantés sous les bras. Henri Pélissier et Arthur Taylor perdirent la vie en se dévouant ainsi pour sauver les plus jeunes.

Outre ces deux élèves, le frère Frédéric Stormont, professeur, et sept autres étudiants furent brûlés vifs dans cet effroyable incendie. Au cours des recherches qui suivirent, on trouva dans les décombres une certaine quantité d'ossements qui amena les enquêteurs à croire que le nombre des victimes se situait à un niveau beaucoup plus élevé. Mais il ne s'agissait que des restes d'explorateurs français, reliques précieusement conservées au musée du collège et tombées dans les débris du sous-sol.

L'incendie s'obstina dans son œuvre destructrice presque toute la journée du samedi, ne laissant debout que les murs calcinés des façades. Le commissaire aux incendies, Charles Heath qui menait l'enquête, ordonna d'abattre dans les plus brefs délais ces ruines noires et lézardées, en raison du danger qu'elles pouvaient constituer.

Les corps carbonisés des victimes furent transférés au salon funéraire Desjardins.

O

Dès le samedi 25, le ministre de la Justice du Manitoba nomma un enquêteur officiel, le commissaire provincial aux Incendies Charles Heath, afin, non pas de jeter un peu de lumière, mais, semble-t-il, de garder dans l'ombre les dessous de cette triste affaire. De New York, où se trouvait à ce moment-là le chantre officiel du Ku Klux Klan américain, le pasteur de l'Église du Calvaire Oscar Haywood, arrivèrent en effet d'odieuses rumeurs dont se faisait l'écho le *Manitoba Free Press* du lundi 27 novembre 1922, et selon lesquelles le Klan aurait été à l'origine du sinistre.

Interrogé sur cette éventualité, le père Filion, provincial de l'Ordre des Jésuites pour le Canada, déclara prudemment:

— Tout ce que je puis dire, c'est qu'on a choisi l'heure la plus diabolique, quand tout le monde dormait et que les pensionnaires avaient le moins de chance de s'en tirer.

Aussitôt, Charles Heath déclara que l'enquête serait poursuivie à huis clos et que même les témoins ne seraient admis à témoigner devant l'enquêteur qu'en la seule présence de ce dernier et «un seul à la fois dans la pièce».

Le désir de garder confidentiels les dessous de cette horrible affaire semblait si évident que le *Manitoba Free Press* — qui ne peut certes pas être taxé de francophilie, du moins si l'on en juge par le peu de place accordé à l'attentat: une demi-colonne à la une, et le reste relégué à la page quatre —

déposa une demande officielle durant le week-end afin que l'enquête fût publique. Le commissaire Heath téléphona au ministre de la Justice du Manitoba, et, après une longue conversation, il fut décidé que l'enquête serait ouverte à tous. Pour bien marquer leur bonne volonté, les autorités invitèrent aux diverses sessions le maire de Saint-Boniface ainsi que le père J. Filion qui venait d'accourir de Montréal.

L'enquête du Commissaire commença par une déclaration officielle à la presse locale — laquelle faisait relâche durant le week-end et qui, donc, ne parut que le lundi 27 — sommant ceux qui avaient des critiques ou des dépositions à formuler contre qui que ce fut, et en particulier contre les pompiers accusés d'avoir été lents et peu efficaces, de «venir les lui présenter à lui-même en personne». À bon entendeur salut!

Le commissaire Heath interrogea systématiquement tous les rescapés, les surveillants des dortoirs, le frère Lord, portier, ainsi qu'Adélard Leclair, charpentier du collège. La tâche de ce dernier consistait aussi à verrouiller les portes donnant accès aux divers corps de bâtiment, tous les jours sauf le vendredi à cause de la soirée des élèves, car certains venaient de l'extérieur. Le commissaire posa aussi des questions très précises au jardinier, Louis Boily, au père Rainville, économe, de même qu'au frère Joseph Bouchard, chargé du réfectoire, qui précisa entre autres où était entreposé le charbon de l'école.

Tous les professeurs, l'ensemble du personnel et la plupart des élèves furent longuement interrogés, de même que les témoins qui avaient aperçu le mystérieux individu le vendredi soir.

Par ses inombrables questions, l'enquêteur essayait de faire ressortir que le feu pouvait aussi bien provenir d'une cause accidentelle. Des élèves qui fument en cachette, cela se voit dans les meilleures institutions scolaires. Pourquoi ne serait-ce pas un étudiant qui aurait mis le feu après avoir consommé de l'alcool des laboratoires? Au sujet de ces laboratoires, où donc étaient entreposés l'alcool et les produits chimiques inflammables? Et les 5000 cartouches de 22-long-rifle cachées sous le lit du père Lacouture, et destinées à l'entraînement prémilitaire des cadets de l'école, c'est à dire des étudiants qui suivaient des cours de préparation militaire?

Tout fut examiné et attentivement analysé avec un extraordinaire souci du détail. Mais rien ne semblait déterminant.

Quant à la déposition de Mme Charles Loiselle qui, par deux fois, avait aperçu, ce soir-là, l'incendiaire potentiel, elle fut minimisée et qualifiée de «rumeur impossible à vérifier et probablement sans fondement». Les autorités se gardèrent bien de faire défiler devant les enquêteurs les membres actifs du Ku Klux Klan de Winnipeg, de peur que le témoin ne reconnût l'un d'eux.

○

Une fois de plus, le crime resta impuni. Les politiciens et les journalistes jetèrent un voile de brume et de mystère sur ce méfait.

Les ossements carbonisés des victimes furent recueillis, et, après des funérailles communes, inhumés dans une même fosse.

Les associations francophones de l'Ouest érigèrent un monument à leur mémoire.

O

Outre les pertes humaines, les Jésuites et, de ce fait, les Canadiens français des Grandes Plaines, subirent des dommages matériels considérables pour l'époque; 700 000 $: la bibliothèque, le laboratoire de physique, celui de chimie, l'observatoire astronomique, un sismographe, et enfin les reliques vénérées par cette minorité: les ossements du père Aulneau, du fils aîné de l'explorateur français La Vérendrye et de leurs 19 compagnons.

Bibliographie

Journaux, revues et ouvrages ayant servi à l'élaboration de ces récits.

Journaux

The Colonist (Victoria)
Le Devoir (Montréal)
The Globe & Mail (Toronto)
The Manitoba Morning Free Press
The Gazette (Montréal)
La Presse (Montréal)
The Province (Vancouver)
The Surrey Leader (Vancouver)
The Toronto Star (Toronto)
The Winnipeg Free Press (Winnipeg)

Revues

Petites Annales des Missionnaires Oblats de Marie-Immaculée, nos d'avril, mai, et juin 1921.
Horizon-Canada, les éditions Transmo inc., Québec.

Ouvrages divers

ANDERSON, Frank W. *Hanging in Canada*, Surrey, Frontier Books, 1973.

BELLIVEAU, John Edwards. *The Coffin Murder Case*, Toronto, Kingwood House, 1973.

BERTON, Pierre. *The Wild Frontier*, Toronto, McClelland & Stewart-Bantam, Ltd., 1980.

BIZIER, Hélène-Andrée. *Crimes et châtiments*, tome II, Montréal, Libre Expression, 1982.

BROWN, Dee. *Bury my Heart at Wounded Knee*, Londres, Barrie & Jenkins, Ltd., 1971.

CLARK, Cecil, et coll. *Outlaws & Lawmen of Western Canada*, vol. 2, Surrey (C.-B.), Heritage House Publishing Co., Ltd.,1983.

CULLEN, Tom. *Crippen: the Mild Murderer*, Toronto, The Budley Head, 1984.

DUCHAUSSOIS, R.P. *Sous les glaces polaires du Mackenzie*, Paris, Excelsior, 1921.

DUGAS, Georges. *Un voyageur des Pays d'En-Haut*, Saint-Boniface (Man.), les Éditions des Plaines, 1981.

FERRY, Jon et Damian Inwood. *The Olson Murders*, Langley (C.-B.), Cames Books, Ltd.,1982.

HÉBERT, Jacques. *J'accuse les assassins de Coffin*, Montréal, éd. du Jour, 1964.

HOLT, Simma. *Terror in the Name of God.* Toronto/Montréal, McClelland & Stewart, Ltd., 1964.

JONAS, George. *The Scales of Justice*, Montréal, CBC Enterprises/Les Entreprises Radio-Canada, 1982.

LANAUZE, inspecteur Police Montée. *Rapport de l'inspecteur Lanauze*, Gendarmerie royale du Canada, documentation parlementaire, n° 28, George V., A. 1917.

McKEE, Sandra Lynn. *Gabriel Dumont, Jerry Potts, Canadian Plains-men*, Surrey, Frontier Books, 1973.

O'BRIEN, Andy. *My Friend, the Hangman*, Toronto/Winnipeg/Vancouver, The Ryerson Press, 1970.

PAINCHAUD, Robert. *Un rêve français dans le peuplement de la Prairie*, Saint-Boniface (Man.), les Éditions des Plaines, 1987.

PATERSON, T.W. *Disaster*, Victoria (C.-B.), Solitaire Publication, 1973.

PATERSON, T.W. *Murder, Brutal, Bizarre and Unsolved Mysteries of the North-West*, Victoria (C.-B.), Solitaire Publication, 1973.

PATERSON, T.W. *Outlaws of Western Canada*, Langley (C.-B.), Mr Paperback, 1982.

PETITOT, Émile. *Traditions indiennes du Canada Nord-Ouest*, Paris, éd. G.P. Maisonneuve et Larose, 1886.

SHAW, Terry. *Outlaws & Lawmen of Western Canada*, vol. 3, Surrey (C.-B), Heritage House Publishing Co., Ltd., 1987.

SIGGINS, Maggie. *A Canadian Tragedy*, Toronto, Bantam Books, McClelland of Canada, 1985.

STEELE, Colonel S.B. *Reminiscences of the Great North-West*, New-York, Dodd, Mead & Co., 1915.

STEVENS, Walter B. *Centenial History of Missouri, 1820-1921*, vol. 1, St. Louis, The Clarke Publishing Co., 1921.

TASCHEREAU, juge. *Affaire Cordélia à Viau*, Québec, Imprimeur de la Reine, 1898.

TREMBLAY, Joseph-Albert, et coll. *Martyrs aux glaces polaires*, Montréal, Beauchemin, 1939.

Table des matières

L'affaire Coffin
ou la Défense se repose 7

L'assassin est dans l'hôpital 27

La malédiction du commandant Kendall 41

Le nécrophile aux yeux bleus 61

La dernière messe 79

10 000 $ par enfant
ou Un P.-D. G. bien sympathique 91

Mais qui est donc Joseph Shukin? 125

Les missionnaires de l'enfer blanc 139

Ogopogo, le monstres des Hauts-Plateaux
du Fraser 161

Quand le Ku Klux Klan persécutait
les Canadiens français 177

Ce livre est imprimé sur
du papier contenant plus
de 50% de papier recyclé
dont 10% de fibres recyclées.

Achevé   Imprimerie
d'imprimer Gagné Ltée
au Canada   Louiseville